今注目の海外投資

フィリピン不動産 DMCI Homes を勧める理由

Reasons Why We Recommend DMCI Homes in Philippine Real estate

桐原　隆

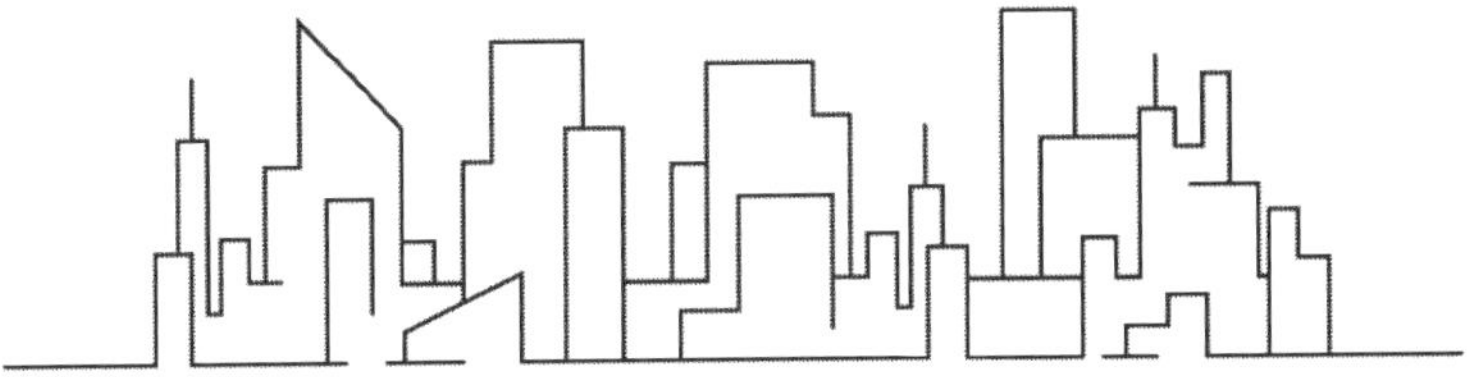

フィリピン不動産の魅力を語ろう!
投資に良し、住んでなお良し、
日本人にぴったりなフィリピン不動産は
DMCI Homes物件です!

はじめに

今、フィリピンが熱い！　こんな話を、情報感度が高い方なら聞いたことがあるでしょう。現在、高度経済成長の真っ只中であり、投資先として世界的な注目も集まるフィリピン。かつての「貧困国」としての面影はすでになく、先進国に肩を並べるべく急速に発展しているフィリピン。日本経済が暗くなるのに反比例するように、明るい未来へ向かっているフィリピン。

でも、実際に、どうやってフィリピンの不動産物件を買ったらいいか、具体的に書いてある書籍は、ほとんどありません。そこで、今回、16年間フィリピンに住み、日本人向けにフィリピン不動産の販売、管理を行なっている立場から、みなさんに具体的にフィリピンの不動産について伝えていきたいと思います。

2022年には、ニュースやワイドショーでも岸田政権において増税の決定が話題になりました。ロシアのウクライナ侵攻の影響等で物価も急速に上がり、生活を圧迫しつつある昨今。ヨーロッパの値上がりに比べて緩やかではあるものの、いつまでもぬるま湯に浸っているわけにもいきません。

どこかで、日本から世界に目を向けなければいけません。そして、これから厳しくなっていくヨーロッパ圏や、競合が多すぎるアメリカ圏ではなく、まだ目をつけている人が少ないフィリピンなどのアジア諸国がベストなのです。

今まで日本人向けにフィリピンの物件を1000件以上販売してきた実績から、私、桐原隆が、フィリピンの現状そして、将来性を伝えたいと思います。

思い返せば16年前。世界一周旅行に出かける前に英語をきちんと話せるようになるため、語学留学先としてフィリピンを訪れました。それがいつしか短期留学ではなくなり、永住することになったのですから、人生とは不思議な縁で結ばれているものです。片言の英語が通じ、物価も安いフィリピンは、日本人の私にとって暮らすのに最適だったのです。その後、フィリピンでフィリピン人の親友ができました。その親友が働いていたという縁があって、10年前よりフィリピンの最大手の建築会社を母体とする、「DMCI Homes」というディベロッパー(不動産開発会社)で勤務することになったのです。「幸運の女神には前髪しかない」といいますが、あのとき、私が怖がってチャンスを見ないふりをしていれば、今のようなことにはなっていなかったでしょう。

会社は創業1954年という老舗の最大手「DMCI Holdings, Inc.（以下「DMCI」）という建築会社を母体としたフィリピンの財閥系企業で、フィリピンのディベロッパーとして国内初のAAAA（クアドルプルA）という建築基準の最高ランクを獲得した建築会社です。フィリピンの建築、インフラの整備といえば「DMCI」と言われるほど、フィリピンの都市開発を熟知しています。

また、フィリピン国内のみならず、フィリピン国外の国際入札に参加し、国際的にも市場を広げております。日本でも話題になったドバイの人工島建築プロジェクト「パーム・ジュメイラ（英語：Palm Jumeirah）」の鉄道工事の一部を担うほどまでに成長しています。

そこで〝初めての日本人社員〟として働き始めた私がまず感動したのは、会社の企業理念がスタッフに浸透していることでした。一人一人が仕事に対して誇りを持ち、お客様によりよい品質の物件を提供することで付加価値を創出しようとする姿勢でした。まるで日本人の持つ職人魂のようなものを感じました。

関係各社（者）すべてに対して、慈愛を持って接するだけでなく、自社のスタッフに対しても敬愛をこめて接して家族として迎え入れてくれる。高度経済成長期の日本の会社のような、消費者に対して誠実で、社員や関係者に家族的な温かさを感じました。そして私は、この会社のために頑張りたい、この会社の商品を日本の方に知ってもらえれば、他の沢山の人がフィリピンの良さに気づくと強く感じるようになったのです。

「DMCI」はグループ会社でフィリピンのインフラの多くを手がけていることから、いち早く都市開発計画を知り、その周辺に土地を購入し、コンドミニアム計画を立てることができます。そのために「DMCI Homes」のコンドミニアムは資産価値が上がりやすく、結果的に投資として効率が良いのです。

おかげさまでメトロマニラ（マニラ首都圏）を中心に70以上のプロジェクトの開発を進めておりますが、創業以来、完成したすべての物件が値上がりをしております。みなさんに自信を持ってお勧めできるのは、これでおわかりいただけたと思います。

「DMCI Homes」のコンドミニアムを一言で表現すると、「住んで良し」「貸して良し」「売って良し」の三つの「良し」です。

高品質な物件を、お手頃価格で購入でき、住むこともできるという不動産購入者にとっては夢のような優良物件です。

「DMCI Homes」物件と他のディベロッパーの物件を比べると、「DMCI Homes」のほうが市場価格より2、3割安いというのが正直なところです。さらに、ありがたいことに、価格が安いのにもかかわらず、品質が高いと評価され購入者様にご満足いただいております。

マニラの不動産を調べられている方なら驚かれるかと思いますが、マニラ首都圏内にプール、ジム付きの1ベッドルームがまだ日本円で1000万円くらいから購入することができるのです。ただ、これも数年後には数千万に上がっているかもしれません。今こそが買いどきなのです。

予算1000万円で購入できる日本の不動産となると、築年数を重ねた中古物件か、駅からの距離が遠い物件などが現実的でしょう。首都圏となると相当厳しい条件となってしまいます。

また、フィリピンは余生を暮らすのにも最適な国です。リタイアメントビザを取りやすいこともあって、最近日本人のリタイア後の移住先としても注目が高まり、沢山の方が不動産を購入されています。

ここまで読んでみて、みなさんもフィリピンの不動産に興味を持っていただいたことでしょう。このあたりで一度、フィリピンの良いところを箇条書きしてみます。

1.永住権が取りやすい。

2.一年中25度以上で、温暖な気候。

3.アジアNo.1の英語圏なので暮らしやすい。

4.物価が安い。

5.親日家が多く、日本人に友好的である。

6.フィリピンはアジアの中央に位置しているので、拠点作りとしても最適。

7.都市部周辺への移住が盛んで、人気エリアでは賃貸物件が足りない状況。

いかがでしょうか？　これだけを見ても、興味を持てない理由がないのではないでしょうか。また、フィリピンの中流層をターゲットにしたDMCI Homesのコンドミニアムは外国人だけでなく現地フィリピン人にも賃貸物件としても人気が高く、フィリピンの高度経済成長に乗り、建築が進むにつれ価格がどんどん上がっております。それゆえに投資物件としてもフィリピン不動産は近年ますます人気が急上昇しており、需要が多く人気物件はすぐに完売してしまうというわけです。

さあ、みなさん。今こそフィリピン不動産に目を向けてみませんか？

今、世界は波乱のときです。急激な円安、ロシアとウクライナの問題、新型コロナウイルス……。そんな危機的状況だからこそ、１０００万円くらいで購入できるフィリピン不動産で安心を手に入れてみませんか？

今、お持ちの資産も、このまま円安が続けば、価値が減少するかもしれません。日本国内への投資だけでは危険だと多くの経済学者が警鐘を鳴らし始めています。こんな時代だからこそ「資産分散」を考え、日本以外に目を向けるべきなのです。

フィリピンへはワクチン接種証明の有無にかかわらず渡航も可能になりました（２０２２年12月現在）。もし、フィリピンの不動産に興味を持っていただいた方には、一度現地でマニラの建築予定地などをご覧いただき、現地のパワーを感じていただきたいと思います。最近、気持ちが停滞していると感じる方は特に、フィリピンの熱気を感じて活力が沸くことでしょう。

本書では私、桐原が16年のフィリピン生活で得たすべての経験と情報を語ろうと思います。間違いのないフィリピン不動産の選び方や購入の際にどこに気をつけるべきなのか？　などを詳しく解説するだけでなく、フィリピン不動産を購入した日本人オーナーの方にアンケートにお答えいただいた〝生の声〟もご紹介していきます。

ぜひ本書を通じて海外不動産投資、フィリピン不動産投資にご興味を持っていただければ嬉しいです。

そして、みなさんがフィリピンの不動産投資を通じて、その人生をより豊かなものにできることを心から祈っております。

桐原　隆

目次

第二章
フィリピン不動産がお勧め！でも実際の購入者の不安点とは？　55

第四章

他社ディベロッパーとDMCI Homesの違い？

第五章 間違いのないフィリピン不動産購入術。 163

第一章

フィリピンは高度経済成長真っ只中！魅力あるフィリピンの現在。

２０２２年のフィリピン

世界的な Covid-19 の影響や、ロシアのウクライナ侵攻の影響によるインフレ、さらには大型台風の被害などがあった２０２２年。フィリピンも例外ではなく、数多の被害を受けました。しかし、フィリピンはそんな状況の中でも成長を続けています。２０２０年はコロナのまん延により大規模なロックダウンなどを行なった影響で GDP はマイナス成長に転落したものの２０２１年第１四半期には６％台に回復。その後順調に6.7％での経済成長を続けています。直近の２０２２年第３四半期のフィリピンの GDP 実質成長率は、直前予想を大きく上回る7.6％を記録。これで２０２２年の平均成長率予測は7.76％となり、通年での政府目標を上回るペースの成長傾向となったのです。政府目標は通常、かなり期待値を持たせて出されますが、その高めの期待値を、さらに上回ってきたフィリピンの成長率。これは、目が離せません。

日本では１９６４年の東京オリンピック開催時に道路・交通などのインフラを整備し、高度経済成長期を支えました。それと同じことが、今、フィリピンでも起きているのです。

ドゥテルテ前政権が行なってきた「ビルド・ビルド・ビルド政策」の下、内需が拡大し、特に都市圏のインフラ整備が急ピッチで進められています。首都圏を走る鉄道や高速道路の一部が完成。日本のODAで進められている2028年完工予定のマニラ首都圏地下鉄の工事も順調で、2026年内に一部開業を目指していると聞きます。

実際に2021年にメトロマニラの3大ビジネスエリアである、グローバルシティとオルティガスを結ぶ大きな橋が完成したことで、社会問題だった渋滞も緩和されるだけでなく、周辺地域の地価が上昇し、メトロマニラを中心に不動産業界には、明るいニュースが多く舞い込んでいます。

さらに、詳しくは後述しますが、慢性的に混雑しているニノイ・アキノ国際空港に次ぐ新空港の建設がメトロマニラ近郊のブラカンで始まりました。2027年ごろにはマニラ首都圏内のインフラの大部分が完成する予定です。その〝完成前〟に〝仕込む〟ことが重要なのです。

新たな大統領が就任

２０２２年6月、国民に大人気であったドゥテルテ大統領が任期満了のため退任しました。

日本ではときにいきすぎたリーダーシップをネガティブに捉えて報道されていましたが、フィリピン国内では大人気。高い支持率を保ったまま退任しました。

新たに大統領に就任したのは、フェルディナンド・ロムアルデス・マルコス・ジュニア（Ferdinand Romualdez Marcos Jr.）。通称：ボンボン・マルコス（Bongbong Marcos）です。ボンボン・マルコス大統領は、ドゥテルテ政権の「ビルド・ビルド・ビルド政策」を踏襲していくと表明しており、今後のさらなる経済成長が期待されます。

不死鳥のように蘇るフィリピン

世界中で猛威をふるったCovid-19。つまり、通称「新型コロナ」はフィリピンにも例外なく大きな影響を与えました。ASEAN諸国の中でも、フィリピンは、いち早くロックダウンを開始。それでも感染者は拡大して、フィリピン経済の軸となる観光業は大きなダメージを受けました。しかし、2021年からは奇跡的な回復を遂げています。

海外からの送金、つまりOFW（Oversea Filipino Workers＝海外フィリピン人労働者のこと。このときはPhilipinoではなくFilipinoとするのが慣例）といわれる海外で働く人々からの送金も減少し、フィリピン経済に大きな影響を及ぼしました。海外からの送金といってもGDPの10％（およそ300億ドル）を占めるほどの金額になることから経済的に打撃を受けました。

しかし、OFWに関しても2022年11月30日に世界銀行が発表した2022年版「移住と開発報告書」によると、2022年のフィリピンは前年比3.6％増となる380億ドルと回復しました。

フィリピンの2022年の送金額が拡大した要因としては、OFWに対する給与未払い問題などによって一時派遣が中止されていたサウジアラビアへのOFW派遣が再開されたことや、高給を期待されるフィリピン人看護師や介護士派遣も再び増えたことが挙げられています。

何度危機にあっても、不死鳥のように蘇るフィリピン。日本の高度経済成長期のような不屈の精神が、ここにはあります。ロックダウンで家から出られなくても、海外に暮らす家族からの送金がなくなっても、地道にコツコツと頑張り続け、チャンスが見えたらサッと掴む。成功するうえで一番大事なことを、フィリピンの人々は高度経済成長期という時代にあって、きちんと理解しているのです。

世界経済不安による影響は？

ロシアのウクライナ侵攻、中国の都市封鎖などによる供給網の混乱だけでなく、2022年9月末にルソン島を横断し甚大な被害を出した台風16号による農業被害……。そんな悪条件が重なり、フィリピンでは現在インフレが進んでおります。

2022年11月17日には、フィリピン中央銀行が金融政策決定会合を開きました。政策金利にあたるRRP（翌日物借入金利）を0.75％引き上げ、5％にすることを決定したのです。RRPが5％の大台に乗るのは2009年3月以来、13年8か月ぶりでしたが、今後も当面は米国の利上げ幅と同一の利上げ実施を行なう方針を示しており、金融政策の引き締めをさらに継続することが予想されています。

格付け大手「ムーディーズ」はフィリピンのインフレについて、「今年通年のインフレ率は5.5％、23年は5.4％になる」と予測、2年連続で政府目標（2～4％）を超過し、24年になってようやく目標レンジ内の3.1％に収束するとの予測を示しました。

つまり、インフレに関しては2024年をめどに落ち着くように見られていますが、予断を許さない状況で、今後も注視していく必要があります。

そんな中でもGDPが年6～7％成長していくフィリピン経済の底力に期待しましょう。

観光業も回復傾向に！

新型コロナウイルスの影響で低迷していたフィリピンの観光産業も、徐々に復活してきています。

日本でも、海外向けの観光産業を支援すると岸田政権が宣言しましたが、それ以上の対策をフィリピンでは行ない、結果も出ています。

「フィリピン観光省」の発表によると、2022年11月14日時点で、海外からの観光客数は200万人を超え、年間観光客数の政府目標である170万人を突破。クリスマスシーズンが本格化すれば、観光客数はさらに増加し、クリスマス休暇に一時帰国する海外在住のフィリピン人の増加も見込まれるため、政府目標を大きく上回ると予想されております。

さらに、2022年10月より従来のワクチン接種完了者に対する渡航前検査免除だけでなく、ワクチン接種証明なしでの出入国ができるようになりました（詳しくは後述）。そのことでリゾート地など観光名所は欧米人を中心に賑わいを完全に取り戻しています。

ボンボン・マルコス大統領もコロナ禍からの観光業回復を優先政策のひとつに挙げているため、今後更なる観光客の増加と、それに伴う経済効果があると見込まれています。

フィリピンへの日本人観光客も、2022年2月に824人を記録して以来上昇を続けています。2022年7月には、パンデミック以来初となる1万人超えを記録しました。それ以降も順調に増え続けており、日本人のなかにも「フィリピンは旅行にも最適」という意識が浸透していることがわかります。

「フィリピン観光省」によると、国別のインバウンド観光客数としては、米国からの観光客が最も多くなっております。次いで韓国、オーストラリア、カナダ、英国と続き、日本は6番目となっています。アジア圏の中でも欧米人からの関心が強いことがうかがえる結果となっています。世界屈指のリゾートということもありますが、英語が通じるというのも大きな理由でしょう。

弊社でも、2022年10月より約2年ぶりにフィリピン不動産視察ツアーを再開しました。その結果、フィリピンの不動産を視察したいお客様が多数訪れております。『百聞は一見にしかず』というように、沢山の方が「フィリピンがこんなに発展しているなんて」「昔のイメージでいたのが恥ずかしい」とおっしゃっています。ご興味のある方はぜひ、視察にだけでも訪れてみてください。今までの価値観が大きく変わる瞬間に、私もぜひ立ち会わせていただきたいと思います。

フィリピン渡航条件が大幅緩和！

新型コロナウイルスの影響による入国制限が緩和されたと申し上げましたが、ここは特に気になる方も多いでしょう。ここで詳述したいと思います。

まず、2022年に入りワクチン接種完了者に対する渡航前検査免除など、徐々に規制緩和がなされ始めました。2022年11月2日には、フィリピン政府は新たな入国規則を次ページの囲み記事のとおり発表しました。

これを見れば、コロナに対しては対策を取りつつも、危険視しすぎないバランスの良さが伺えると思います。厳しいアジア各国の取り組みより、欧米に近いのでは、と思われる方もいるかもしれません。未知のウイルスですから、恐れることは正しい。でも、恐れすぎないようにしなくてはいけない。「正しく恐れる」「正しく対策をとる」という基本姿勢が、フィリピンにはしっかりと根付いている印象を受けます。

フィリピン渡航とワクチン接種

①完全にワクチンを接種した者（Fully vaccinated）

以下の条件を両方満たす場合は、完全にワクチンを接種した者と見なされ、出発国出発前の検査を免除される。

（1）出発国からの出発日時から遡って14日以上前に、ファイザーなど2回接種する種類のワクチンを2回接種済み、またはヤンセンなど1回接種する種類のワクチンを接種済みのこと。

（2）以下のいずれかで発行したワクチン接種の証明書を携帯／所持していること。

ア　世界保健機関（WHO）が発行した国際ワクチン接種証明書（ICV）

イ　VaxCertPH

ウ　外国政府の国または州の紙面/デジタルの接種証明書

エ　その他のワクチン接種証明書

②ワクチン未接種、一部ワクチン未接種、ワクチン接種状況を検証できない者

（1）15歳以上の者および同伴者のいない15歳未満の未成年者

ア　フィリピン到着時に、出発国の出発日時から遡って24時間以内（経由便利用者は乗り継ぎ空港の敷結果を提示すること。

イ　上記アの抗原検査で陰性の証明を提示できない者は、空港到着時に医療施設、研究所、診療所、薬局、またはその他の同様の施設で医療専門家によって実施および認定された検査室の抗原検査を受ける必要がある。

ウ　上記イの抗原検査で陽性となった場合には、フィリピン保健省（DOH）の検疫、隔離規則に従うこと。

（2）同伴者のいる15歳未満の未成年者

同伴する成人/保護者の検疫規則に従う。

▼全てのフィリピン入国者は、出発国出発72時間以内に「eARRIVAL CARD」（https://onehealthpass.com.ph/）の登録する必要があります。

※こちらは2022年12月現在の情報です。渡航の際には最新の情報を入手してください。

2022年のフィリピン不動産市況

ここまでフィリピンの政治、経済の最新情報をお伝えしましたが、ここからはフィリピンの不動産市況に関する最新情報をお伝えしたいと思います。みなさんが、一番気になっているポイントでもありますよね。

まず、2022年4〜6月期のフィリピン中央銀行の発表によりますと、全国の新規住宅物件価格は上昇基調を維持し、特にマニラ首都圏においては価格上昇が顕著となり、平均住宅価格でも前年同期比で6.3％の大幅な上昇を見せています。住宅の種類別ではコンドミニアムが同8.6％増と全体の価格上昇を牽引しています。

GDPの伸び率と同調することが多いフィリピン不動産価格ですが、2022年も順調に推移すると予測されています。

2022年11月にBCGに
オープンした三越伊勢丹

交通の要、カラヤアン橋の完成！

この話題は、日本でもニュースに取り上げられたので、ご存じの方も多い話でしょう。マニラの主要ビジネスエリアであるBGC（Bonifacio Global City ＝ボニファシオ・グロー

ボニファシオ・グローバル・シティの夜景

バル・シティを略したもの。以下「BGC」）は、広大なフィリピン軍駐屯地を再開発したエリアで、近未来的な街でもあります。世界的に有名な外資系企業のオフィスが集まり、高層ビルが建ち並んでいます。さらには高級ホテルやコンドミニアム、デパートなどが次々とオープン。これまでのマニラのイメージが覆される、安全で美しく整備された街となります。２０２１年にこの街と、オルティガスエリアを繋ぐ巨大な橋が完成しました。

その橋の名前は、「カラヤアン橋（BGC-Ortigas Center Link）」。今まで、マニラ首都圏では渋滞が深刻化していました。その一部を緩和

完成したカラヤアン橋

させるためにできたのが、この「カラヤアン橋」なのです。

マニラ首都圏タギッグ市にあるBGCとパシッグ市オルティガス・センターを結ぶ橋ができたことにより、BGCとパッシグ市の所要時間は、今までの約60分から、約12分に短縮されました。約1/5も短くなったのです。

この橋の完成によりその周辺の不動産価格は大きく上昇し、私が勤める「DMCI Homes」の物件でもFLAIR TOWER（フレアタワー）、SHERIDAN TOWER（シェリダンタワー）、BRIXTON PLACE（ブリクストンプレ

カラヤアン橋の左側に写っているコンドミニアムは
「DMCI Homes」のBRIXTON PLACE（ブリクストンプレイス）

イス）、FAIRLANE RESIDENCES（フェアレインレジデンス）は発売当初から比べて約2倍に値上がりしました。

わずか数年で二倍に値上がりするというのが、今の日本人には信じられないかもしれませんが、本当の話なのです。それだけ、成長率が高いのがフィリピンなのです。

私自身もこの橋の完成で不動産価格が上がると見込んで、コンドミニアムを多数お客様にご案内してきたので、この結果はとても嬉しいものでした。

たとえば、マカティ市にあるBRIO TOWEWRでは28.5㎡の1ベッドルーム（1BR）が発売当初255万ペソ（約640万円※）だったものが、物件完成の5年後には2.25倍の573万6000ペソ（約1430万円※）に値上がりしています。コンドミニアム販売開始時に不動産投資として購入した人は、誰もが成功した、というわけです。住んで良し、貸して良し、売って良しのフィリピンへの不動産投資の理由が、ここにあります。（※1ペソ=約2.5円で計算。以下同）

購入物件 BRIO TOWER	1BR （マカティ市） 28.5m²

2014年9月 購入時
2,550,000 PHP

→ 2.25倍

2022年8月 現在
5,736,000 PHP

購入総額：2,653,500 PHP	賃貸運用の場合

2014年 9月 購入
↓
2019年 12月 引き渡し

2020年 7月 賃貸開始
↓

賃貸収入：	**18,000 PHP / 月**
	216,000 PHP / 年
賃貸収益：	**7.2% / 年**

※日本国内在住者は確定申告することにより、
建物部分の原価償却費を利益から控除できます。

支払い内訳

	【物件購入】		
2014.9	申し込み金	20,000 PHP	
2014.10 -	Down Payment	11,716 PHP	（× 57ヶ月）
2019.8	Closing fee	260,652 PHP	
	【物件引き渡し】		
2019.11	Turn over fee	45,460 PHP	
2019.12 -	物件購入費	138,298 PHP	（× 12ヶ月）
2020.2	家財道具設置費用	250,000 PHP	
	【賃貸開始】		
2020.7	不動産税	15,173 PHP	
2020.11	管理会社手数料	2,000 PHP	（× 12ヶ月）
	管理会社紹介料	1,800 PHP	
	コンドミニアム共益費	2,708 PHP	（× 11ヶ月）
		2,990,450 PHP	

新マニラ国際空港建設！

また、マニラに新しい空港ができる、とも先述しました。ここも、インフラ整備こそが経済成長のカギという意味で重要な部分なので、詳述しましょう。

まず、新マニラ国際空港（ブラカン国際空港）は、マニラ首都圏の北方35キロに位置し、1693ヘクタールの広大な敷地で開発が進んでいます。

日本でも、お酒が好きな人なら「サンミゲルビール」をご存じの方も多いでしょう。あの「サンミゲルビール」を販売している「サンミゲル」の子会社、「サンミゲル アエロシティ社」によって、新マニラ国際空港は建設されます。総事業費7400億ペソ（約1兆8500億円）の大型インフラ整備プロジェクト。新マニラ国際空港の建設事業は2019年9月に正式始動しました。

2027年には、フェーズ1の完工・運用開始を目指しており、利用可能になれば、年間旅客収容能力は1億人と想定されています。1億人がフィリピンを行き来するというだけで驚きですが、なんと、計画次第では2億人にまで拡大可能なのです。

現状存在するニノイ・アキノ国際空港の混雑を大幅に緩和でき、沢山の海外旅行客が訪れると想定され、フィリピン市場は賑わっています。

また、新マニラ国際空港では４つの平行滑走路が計画されており、１時間あたり航空機２４０機の移動を想定しています。開港することで空港関連業務など、１００万人以上の雇用創出につながると期待され、フィリピン経済がますます活気づくと予想されています。フィリピンの一大産業である観光にさらに拍車がかかり、雇用も創出できる。この空港によって、その周辺の不動産価値、およびフィリピン全体の不動産価値が上がることは、みなさんも想像できるのではないでしょうか。

建設中の新マニラ国際空港

2028年、マニラ首都圏の地下鉄開通

さて、インフラ整備といえば、忘れてはいけないのが「鉄道網」です。日本も、鉄道網を発達させたからこそ、高度経済成長期が訪れました。フィリピンも同様です。日本のODA（政府開発援助）の円借款から資金調達されて始まった「マニラ首都圏地下鉄事業」。これも、詳細を述べておきましょう。

まず、概要としては、首都圏バレンズエラ市からパラニャーケ市までを結ぶ全長33.1キロの大規模なインフラ整備計画となっており、完工は2028年を予定しています。

2022年10月に行われた署名式では、ケソン市のケソンアベニューとイーストアベニュー間の地下駅建設およびトンネル工事を「西松建設」と私の勤める「DMCI Homes」のグループ企業である「DMコンスンヒ」の名が。ノナスおよびアギナルド両駅の建設とトンネル工事を「三井住友建設」が正式に受注することとなりました。

ボンボン・マルコス大統領はスピーチで、「この地下鉄事業が完工すれば、

ケソン市〜パサイ市間の通勤時間が1時間30分から35分に短縮される。速さだけでなく、旅客輸送量も路上交通と比較して格段に多くなる」と説明しました。明るく、希望に満ちた話です。また、「インフラはJICA（独立行政法人国際協力機構）の支援無しで今日の姿はない」として、JICAのフィリピンに対する「継続的な関心」に感謝の意を表明しました。

地下鉄開業後も東京メトロを中心とした日本企業が継続的に携わることから、安全に運行されることでしょう。これをきっかけに、日本とフィリピンの絆がさらに強くしなやかに結ばれ続けることを祈ってやみません。

地下鉄周辺地域の地価上昇

このメトロマニラ地下鉄の2028年の完工に向けて、すでに周辺地域は建設ラッシュが始まっています。私が勤める「DMCI Homes」の新規物件のなかでは、「THE ORIANA（ジ・オリアナ）」というケソン市のカティプナン地区のプロジェクトもメトロマニラ地下鉄開通により、不動産価値の上昇が見込める物件です。

「THE ORIANA」プロジェクトは全部で約２５００ユニットある２棟建てのタワーコンドミニアムです。２０２６年完成予定となっており、２０２７年に開通する予定のメトロマニラ地下鉄とLRT2号線が交差するANONAS（アノナス駅）からすぐの場所に位置していることから、地下鉄開業後にはさらに価値が上がると予想されます。

どこに投資したらいいかわからない日本と違って、フィリピンではインフラ建設等が日に日に動いているので、投資先を比較的簡単に見出すことができるのが長所のひとつです。また、この駅はブラカンの新空港までの鉄道の延伸計画があり、完成すれば、新空港ブラカン国際空港にも、現空港ニノイ・アキノ国際空港にも30分ほどでアクセスできるようになる見込みです。この地域のこれからの発展を想像すると、地価が高騰していくのが期待されています。また、この駅はブラカンの新空港までの鉄道も計画されていて、新空港ブラカン国際空港にも、現空港ニノイ・アキノ国際空港にも30分ほどでアクセスできるようになります。

地下鉄がこれからのシンボル

本書カバー裏にメトロマニラ内の既存の交通システム（地上鉄道&高速道路）とメトロ首都圏地下鉄（メトロマニラサブウェイ）の建設予定地を示した地図があります。今までのマニラの投資家向け不動産物件は三大ビジネスエリア、つまり、マカティ、BGC、オルティガスの三つの地域が中心でした。そしてフィリピンの経済成長に乗り、このエリアの不動産価格は予想通り値上がりしました。

これからはこの路線図の、特にメトロマニラサブウェイの駅沿いで都市開発が進むことが予想されます。フィリピンが国策で進めているこの鉄道網拡張計画はTOD（Transit Oriented Development の略。交通重視の都市開発の意味）と呼ばれているものです。

電車の乗り継ぎが安心、安全、快適にできる仕組みです。アジア内だと香港、シンガポール、日本のTODは世界的に評価されています。

たとえば日本の山手線や地下鉄など首都圏交通システムはかなり安心・安

全・快適に乗り継ぎができますよね。あれと同じレベルの鉄道がこれからマニラにできるのです。

「途上国が先進国になるということは、今まで貧しかった人たちが車を持てるようになるということではなく、金持ちが公共機関の乗り物を利用するようになることである。」と経済学者が語るように、フィリピンはまさしく、先進国への道を確実に歩んでいると言えるでしょう。

人こそが財産

ここまでで、2022年のフィリピンの最新状況については、ある程度おわかりいただけたかと思います。インフラ整備に伴い、地価が上がり始めている。投資するなら初期に手を付けたほうがいいということもご理解いただけたでしょう。

でも、それ以外の要因はどうでしょうか？　フィリピン全体をみて、安全といえるのかと不安な方もいらっしゃると思います。そこで、ここからはフィリピンのポテンシャル、そして未来への可能性についてお話ししたいと思います。

まず、第一にフィリピンの人口から見られる現状と未来についてです。

フィリピンは世界でも有数の人口増加国です。２０２３年現在、人口は1.1億人を超えています。日本が1.2億人なので、もうすぐ追いつかれそうです。特に日本では高齢者の数が多いですが、フィリピンでは若年層の数が多いので、今後ますます発展していくことがうかがえます。

２０２１年のフィリピンの合計特殊出生率は1.9人。コロナ禍のロックダウンの影響もあり、急速に落ち込んでいますが、今後回復して増加すると予想されています。中国のような一人っ子政策による弊害もないため、順調に子どもが増え、経済が発展していくのがフィリピンなのです。カソリック教徒が多いのも特長です。

ちなみに２０１７年のデータでは出生率は2.7人でした。世界銀行統計によるとフィリピンの平均年齢は24歳です。日本の、平均年齢は47歳、出生率は1.3人だと考えると、どれだけフィリピンが発展の余地があるかわかるかと思います。

高齢化が進む日本に比べて明るい未来が期待できるフィリピン。これから発展していくことが見込まれる場所に投資するのがおすすめなのです。

※合計特殊出生率は「15～49歳までの女性の年齢別出生率を合計したもの」で、一人の女性がその年齢別出生率で一生の間に生むとしたときの子どもの数を表します（厚生労働省HPより）。

理想的な人口ピラミッド

図を見ていただくとわかる通り、フィリピンの人口分布図は綺麗な三角形のピラミッドになっています。ピラミッドの底の部分、つまり子どもが今も増加していて、20～60歳までの労働者人口が経済を底上げしています。今のフィリピンの置かれている状況は、日本の高度成長期のころと似ていると、伝える経済学者が多いのもうなずける結果です。

フィリピンと日本の人口分布図比較

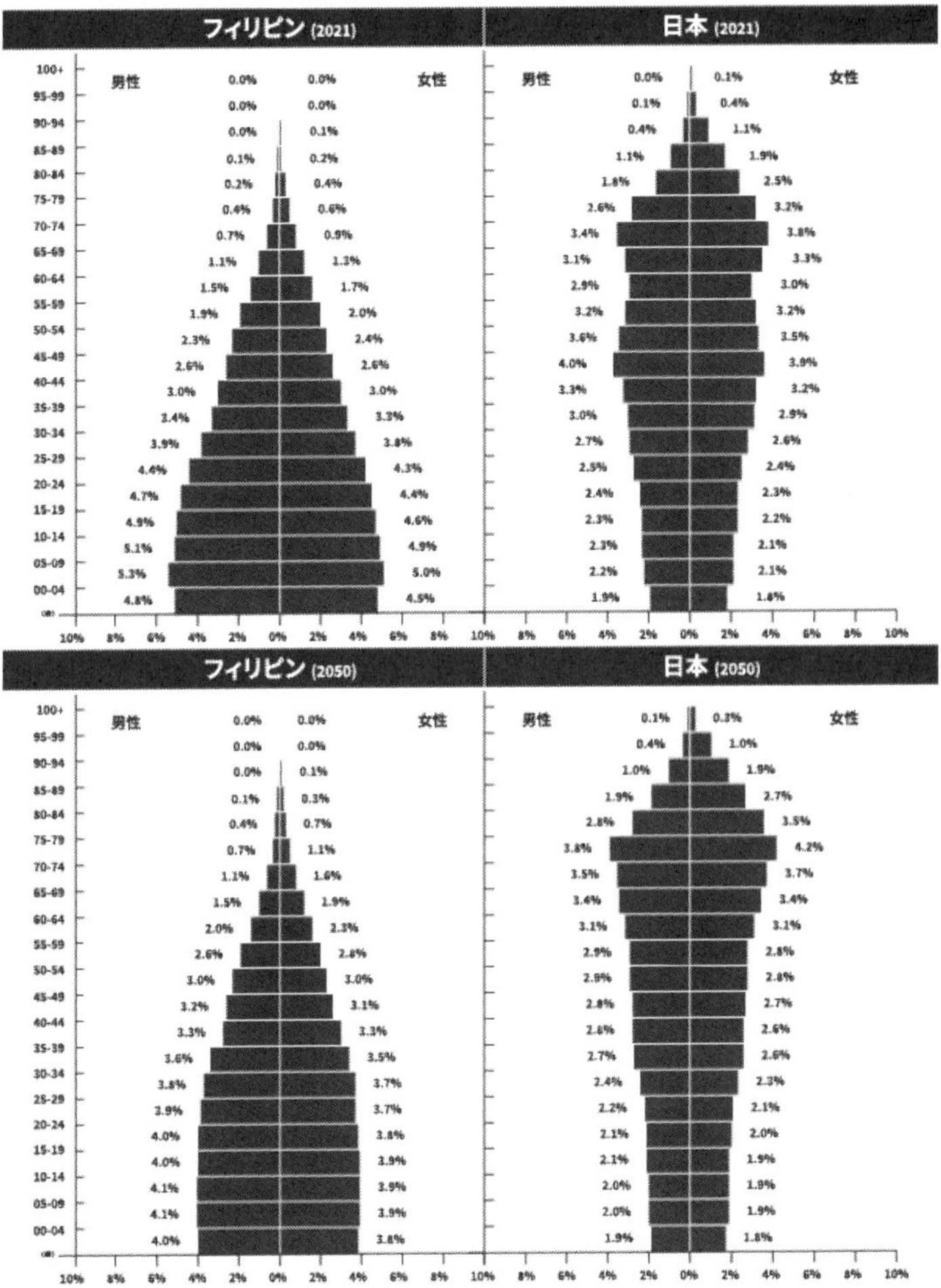

また、**フィリピンでは、人口のピークは２０５０年と予測されています。**あと30年は、人口が増え続けるのです。つまりその間、多少の上下はあれ、長期的に見て不動産の価値は上がり続けるのではと期待させます。これこそが、フィリピンが不動産投資に向いている国である最大の理由と言えるでしょう。

東南アジアで経済成長予測ナンバー1 フィリピンは投資に最適！

２０２２年11月28日、格付け大手「ムーディーズ」が報告書を公表しました。内容は、２０２３年のフィリピンの経済成長率について。その結果はなんと、**「東南アジア諸国連合（ASEAN）主要5カ国に中国・インドを加えた7カ国の中で最高となる6.4％の成長率」**を予想したのです！

「ムーディーズ」は、フィリピンの成長要因について「コロナ防疫規制期間がASEAN最長だったことから、経済再開の揺り返しによる家計・民間企業の需要増加が引き続き景気回復を主導。さらに、政府による教育・公衆衛生、インフラへの財政支出も成長を下支えする」と説明しています。

世界的なインフレ高進と政策金利引き上げなどによってアジア新興国の中でも輸出依存が強い国ほど成長が鈍化する傾向にあります。日本も、中国も同様です。一方で、他の東南アジア諸国と比べ輸出志向の工業化が進んでいないフィリピンは、かえって世界経済停滞の悪影響を受けにくいのだと経済学者たちは口を揃えます。

フィリピンの経済成長率は年6～7％で、ASEAN諸国で一番です。フィリピンは「人」が財産と書きましたが、その理由がここにあります。フィリピンは、アジア随一の「英語圏」です。それ故に、アメリカ圏からの海外旅行客も多く、アメリカ人やオーストラリア人のバカンスの場所としても最適なのです。結果、彼らもフィリピンの不動産を多数購入しており、フィリピンの高度経済成長を下支えしています。

フィリピン人は、綺麗な発音でアメリカ英語をしゃべる人たちが多く、それにより、多くのグローバル企業が、テレマーケティングやカスタマーサービス、その他のビジネスプロセスのアウトソーシングサービスをフィリピンのコールセンターに頼るようになっています。ネット社会では、カスタマーサービスまでアメリカ本国に置く必要がないからです。そのため、フィリピンの首都マニラは、多くのコールセンター企業の拠点となっています。

また先述の通り、海外で働くフィリピン人の活躍も無視できません。人口の10％がOFWつまり海外で働いているフィリピン人です。フィリピンは出稼ぎ大国であり、フィリピンのGDPのおよそ10％はOFWによる外貨獲得によるものです。

さらに、フィリピンの国策としているカジノ産業が急成長している点も大きな要因のひとつです。メトロマニラ沿岸部を中心に、世界からカジノを誘致した結果、マカオ、ラスベガス、シンガポールに次ぐカジノ大国に成長しました。政府が掲げる利益目標は、OFWの海外からの送金額と同じくGDPの10％。海外からのカジノ関連事業に対する支援も上向いているため、この状況がさらに進めば世界一のカジノ大国になっても不思議はありません。そうなった場合、不動産価値はさらに上がるでしょう。バカンスの定番として英語の通じるフィリピンが選ばれるようになり、別荘として家を所有するようになるというのはまったく夢物語ではないのです。

さらには綺麗な海をはじめ、マニラ大聖堂やサンチャゴ要塞、サン・アグスティン教会など、観光の名所も多数あります。観光資源の宝庫でもあるフィリピン。伝統文化や風習も、観光客の好奇心を強く刺激して離しません。ハリウッド俳優たちも、フィリピンに別荘を持っていたり、フィリピンが好きという人が増えている傾向にあります。

こうした状況が重なり合って、フィリピン経済の底上げをさらに加速させているのです。

「経済成長に理想的な人口ピラミッドの国である」
「東南アジアで経済成長予測ナンバー1」
「カジノ産業が急成長している」

という状況なのが、今のフィリピン。現在沢山いるフィリピンの子ども達が、全員働き盛りの年代になるころを想像してみてください。活気あふれるフィリピンで、男も女も老いも若きもバリバリと働き続ける。海外に出稼ぎに行っていた家族も帰ってきて、海外で得た知見をもとに商売を起こす。空港も地下鉄も整備されていてインフラも万全である……。

経済成長著しいフィリピンが投資に向いていることはおわかりいただけると思います。

フィリピン不動産コラム

個人投資家・夕月薫さんからのアドバイス。

基本的には国内不動産を中心に投資をしています（現在１００棟２００億以上の資産運用）。海外不動産はフィリピンにのみ投資しています。「DMCI Homes」物件には良いものが大変多く、現在23ユニット（部屋）を所有しています。

フィリピンの不動産に関する法整備は税金、書類を含めて年々厳しくなっていますが、それも逆に考えれば安心材料になりえるかと考えています。これから購入しようかと考えている人にもおすすめできるものだと思っています。

急激な円安などもあったように、これからのことを考えると日本国内だけの経済、つまり国内だけでビジネスをするというのはリスクがあると思います。世界人口は75億人、80億人といわれていますが、日本は1億人レベルのビジネスなわけです。その中で不動産ビジネスをしても家賃や売却価格が下がるといった形で価値が目減りしていくという可能性があります。

海外の不動産を買うと、不動産としての価値が高くなったり、家賃が上がったりしますので、海外不動産を所有し、運用していくのはお勧めできます。

海外不動産の中でもフィリピンは、これから伸びる要素が多々あるので、ひとつの候補として、考えて頂きたいです。

みなさん、最初は分割して払っていくのが心配だということを思っていらっしゃいますが、基本的に1年、2年で儲けようとすると失敗することや予想以上に赤字だということもあるかと思います。

プレビルドで買うなら、竣工までの5年＋5年の10年間の期間で考えるべきです。家賃収入のインカムゲインと、売却益のキャピタルゲインで、トータルして買ったときの2倍くらいになるのを想定するのが良い目標設定だと思います。長い目で見ることが大切です。

フィリピンにはいろんな強みがあると思うのですが、個人的には「何かあったら、すぐ見に行ける」距離の近さが良いと思っています。東京から4時間で行けて、時差も1時間という距離感は台湾と韓国くらいしか見当たらないですし、ハワイも遠く感じてしまいます。

円安もどうなるかわからないですが、お金に余裕があるのであれば、海外不動産に資産を分散するのはアリだと思います。

今のフィリピンを過去の日本に例えるなら、高度経済成長期のころだと思います。平均年齢は24歳と若い。日本は47歳ですから！　総人口数も多いので不動産を借りる人、購入される人も多いわけです。日本と比べるとフィリピンは将来に伸びしろを感じる国ですよね。

第二章

フィリピン不動産がお勧め！でも実際の購入者の不安点とは？

第一章では、フィリピンがいかに高度経済成長期にあるかをお伝えしてきました。

この第二章からは、実際に「DMCI Homes」の物件を購入した方にインタビューしたものから抜粋して、みなさんの疑問に答えていきたいと思います。

どんなものでも、実際に体験した人からの言葉を聞くのは大事です。リアルな失敗談や成功談こそが、自分の未来を決めるカギになるためです。

それでは、ぜひ、実際に購入された方からの〝生の声〟をご覧ください。

Q

フィリピンに不動産を購入されたのはどうしてですか？　それ以外の国の選択肢はなかったのですか？

A

わたしは他のアジア圏にも不動産を所有していますが、たとえば中国では所有権ではなく使用権しか買うことができません。フィリピン不動産は購入することできちんと所有権を手に入れることができます。そしてなによりもマニラ不動産を視察した時に物件のクオリティを見て購入することにしました。プールやジム、テニスコートにバスケットコートなどがついているコンドミニアムの魅力は日本では億ションレベルのクオリティの高さです。（新井様）

フィリピンなら所有権獲得

フィリピンではコンドミニアムであれば日本人でも100％所有権を持つことができます。中国では、新井様のおっしゃる通り、「使用権」だけしか手に入りません。自分が死んだあと、財産として残すことができないのです。

フィリピンでも、一軒家等の土地の所有する場合は、フィリピン人のパートナー（配偶者）との共同所有（40％以下が外国人：60％以上がフィリピン人）が必須となりますが、コンドミニアムは100％外国人所有できることが法律で認められています。プールやジム、バスケットボールコートやラウンジ等の共有施設が充実しているのも、フィリピンのコンドミニアムの魅力です。フィリピンは一年中暖かいため、エレベーターで降りればすぐプールに入れるという気軽さもあります。

「ハワイみたいにあったかくて、日本のように丁寧で、お城のように豪華」と言われるフィリピンのコンドミニアム。ぜひ、みなさんに体験していただきたいと思います。

ビルド、ビルド、ビルド政策

前章では、フィリピンの年齢別人口分布が理想的なピラミッドを描いていることを説明しました。その人口成長こそが経済成長に繋がるため、フィリピンは株式、債券、不動産といった投資に向いている国であることがわかります。

前述したように、フィリピンは現在、日本の70年代以降の高度経済成長期を模倣するように、次から次へと都市開発が進められています。前大統領のドゥテルテ大統領は圧倒的な人気に支えられ「ビルド、ビルド、ビルド政策」を推し進めました。つまり「建てて、建てて、建てまくれ」といったところでしょう。現大統領のボンボン・マルコス大統領はドゥテルテ前大統領の親戚でもあり、基本的に前政権の政策を踏襲していくとしているため、都市圏を中心としたフィリピンのインフラ設備の建築ラッシュはこの先も続いていきます。

さらに、人口が増えるため、不動産物件の賃貸需要も伸びていくということになります。アセアン・アジア諸国の中でも、フィリピンの物件は安価で購入しやすいことも、特筆すべき点です。

また、フィリピン不動産物件の多くは現地フィリピン人居住用に作られています。一軒家等の土地の所有が発生する場合は、フィリピン人のパートナー（配偶者）との共同所有（40％以下が外国人：60％以上がフィリピン人）にしなくてはいけないと書きましたが、同じように、フィリピンのコンドミニアムは総戸数に対して、60％以上はフィリピン人に販売しないといけないという法律があります。

格安物件から高級物件まで、いずれの価格帯でも、その物件の部屋の60％以上はフィリピン人名義である必要があります。決して外国人の投資家だけが購入しているわけではないのです。

また、不動産価格も大きなピラミッドで表現できます。一番上が1億円以上する超高級物件です。その下に数千万円の物件があり、2000～3000万円くらいの物件、1000万円くらいの物件と続きます。その下に1000万円を切るフィリピン一般層向け物件があるわけです。ちなみに「DMCI Homes」は、1000万円位からのフィリピン中流層向け物件を多く扱っております。

狙うべきは中流層

ただ、ここで注意があります。日本在住の日本人の方なら、低価格の不動産には手を出さないでください。「DMCI」より、更に低価格の現地のフィリピン人向けの物件を扱う会社もありますし、1000万円以下の低価格帯のものもありますが、こうしたものは私たち外国人が所有するには苦労することが多いのです。クオリティの低さ、工期の遅れ、メンテナンスの問題など想定外のトラブルに見舞われる方が多くいらっしゃいます。配偶者がフィリピン人の方やフィリピンに精通されている方以外は、管理が大変で、投資としてはあまりお勧めしません。

一方高額の高級物件は、基本的に外国人投資家や一部の現地富裕層向けに作られています。日本のトップ企業もフィリピンのディベロッパーとのジョイントベンチャーとして参入しています。このような物件は地価の高騰に合わせて利幅も大きくなることが期待されますが、一方で出口戦略（不動産の売却）に苦労されている方が多い印象です。富裕層向け物件は庶民には手が届きません。早く手放したいあまりに評価額に満たない金額で売却される例も数多く見てきました。購入後に部屋を賃貸に出される場合も、顧客が見つかりにくいという事態が発生してしまいがちです。

では、どの層の価格帯のコンドミニアムを狙うべきでしょうか？

投資物件として考えるのであれば、フィリピン人の富裕層や外国人投資家だけをターゲットにするのではなく、フィリピン国内の一般中流層もターゲットに考える必要があります。

では、フィリピン人の需要を見据えた物件とはどのようなものなのでしょうか？

フィリピンの中流層以上は全体の約20～25％といわれます。この層でコンドミニアムを買いたいと思っているフィリピン人は多数いらっしゃいます。この層に訴えかけていくのが最適解といえましょう。

用途に合わせて物件を選ぶ

では、具体的に考えてみましょう。

ある中流階級のフィリピン人がいたとします。その人は貯金が５００万円あって、１０００万円の物件までは手が届きそうだ、と考えています。でも、貯金が５００万円だと、１２００万～２０００万円の物件は高く感じられ、手が届きません。

「DMCI Homes」では、この「1000万円の物件なら手が届きそうだ」という人向けに物件を作り、販売しています。しかも、「DMCI Homes」の物件は他の会社の物件に比べて、同じ値段だった場合でもクオリティは2～3割レベルの高いものを提供しているのが特長です。

これは**「DMCI」がフィリピン最大手の建築会社で、建築資材を安価で仕入れることができること。企画から建築、そして販売までを「DMCI Homes」が一貫して手がけることでコストカットが図れているところにあります。**

チェーン店の洋食店のほうが、個人の洋食店よりも安価で食事を提供できるのと同じ理屈です。クオリティは高いのに、値段は安いとなれば、誰もが私たち「DMCI Homes」を選ぶのは自明です。

また、通常、フィリピンのディベロッパーの多くは広告宣伝費用に大きな経費を割く傾向にありますが、「DMCI Homes」は違います。創業者David Mendoza. Consunji（デイビッド・メンドーサ・コンスンヒ）の信念から、**「広告宣伝費を最小限に抑え、その抑えた分を物件価格に反映させて安価にする」**

というポリシーがあるからです。その結果、広告費を抑えているにもかかわらず、物件発売日初日には申込者が殺到するほど、値段以上の価値を生む物件として現地フィリピン人から圧倒的な支持を得ているのです。

日本でも「お値段以上」の商品は必ず人気が出ますが、フィリピンでも同じことです。

「安く、丁寧で、高品質」。これこそが競争社会を生き抜く唯一の術なのですから。

「DMCI Homes」のコンドミニアム販売初日の熱気溢れる抽選会の様子

また、**他のディベロッパーよりも物件が安く買えるということは、他社の同じクオリティの物件と比較して、賃貸や転売の収益率を上げることに繋ります。**相場より安く賃貸や転売に出すことで、通常よりも早く入居者や転売先を決めやすくなって結果的に儲かるということでもあり、投資としてもメリットが多くなるのです。

フィリピンでは日本人が買えない不動産物件あります

ここまで、フィリピン不動産の魅力について語ってきました。きっと、興味を持っていただけたことでしょう。

では、実際に購入する前に、法律面についても押さえておきましょう。日本の不動産関連の法律にはない、フィリピンならではの法律があるため、そこを押さえておくことで、転ばぬ先の杖となります。

まず、**外国人は、フィリピンの土地、一軒家は100％所有することはできないという点です。**そもそも、世界的に見ると外国人による土地所有に対して、何らかの対策を講じている国は多いものです。中国をはじめアジア諸国の中で、外国人はそもそも土地を買うことが禁止されている国が多いのはご存じのとおりです。

日本では外国人の土地購入が法律で認められており、中国人が買い漁っているという話をよく聞くと思いますが、各国の企業や投資家たちも日本の物件を所有していることは少なくありません。

不動産には「土地」「一軒家」「賃貸アパート」「貸しビル」「マンション一棟」「マンションの一室」「テラスハウス」などがあります。先ほど申し上げたように、フィリピンでは外国人だけで土地を所有することができません。土地と建物が一体化されている物件も、日本人名義１００％では購入できません。

例外として、フィリピン人の配偶者がいる場合、配偶者との共同名義で購入することは可能です。現地法人を設立して法人名義で購入することはできますが、フィリピンの会社設立にあたってはフィリピン人の株所有比率を60％以上にする必要があります。

つまり、普通に土地付物件を持つには日本人である以上、過半数以上の権利を持つことができず、ハードルが高いものとなってしまいます。

日本人にはコンドミニアムが最適

では、どんな物件なら日本人でも100%所有できるのでしょうか？

日本でいう「分譲マンション」をフィリピンでは「コンドミニアム」といいます。このコンドミニアムは私たち日本人でも、単独名義で購入することができ、住むことができ、貸すこともでき、さらには売却することもできる物件です。外国人の名前で所有でき、登記もできます。ただ、外国人が登記できるのは物件の全部屋数の40%までなので、早い者勝ちとなっています。

この「コンドミニアム」なら、シリアルナンバー付きの権利証（タイトル）も発行されます。日本人を含め外国人オーナーにも発行されるのです。相続も可能です。

日本人単独で購入できるフィリピン不動産はコンドミニアム（分譲マンション）だけ。まずは、これだけ覚えてもらえればと思います。

高級リゾート気分が都市で味わえる

フィリピンは、年間を通して温暖な気候で、年間平均気温は26度！一年を通して〃常夏〃が続きます。

この気候がコンドミニアムの共有部分にも影響しており、プール付きの物件が非常に多くなっております。常夏の気候と、プール。そして、ハイビスカスのフルーツティーと来れば、気分はバカンスですね。

ここで、「DMCI Homes」のコンドミニアムの仕様、施設についても詳述しましょう。内覧をする前に、詳しく物

屋上スカイガーデンもリゾート気分満点の「DMCI」の物件

件を知りたい方もいらっしゃるかと思います。

まず、「DMCI Homes」のコンドミニアムの魅力は、エントランスにあります。エントランスは、一流リゾートホテルのように豪華で美しい空間演出をしています。

入ってきた瞬間に、心が華やぐような空間を。それが「DMCI Homes」のエントランスにかけた思いです。

プール付きのコンドミニアムはフィリピンでは一般的なのですが、「DMCI Homes」も例にもれず、ほとんどすべての物件にプールがついてきます。プールを、いつでも無料で使えるという

「DMCI」の物件、THE ORIANA

のは、心が躍りますよね。

また、最近の物件では25ｍの競泳用プールとリゾートホテル風プール、そして子ども用プールまで備えたものが定番です。他にも、敷地内に子どもの遊べる公園があったり、バスケットボールのコートまであったりすることもあり、子育てにも向いていると評判です。

コンドミニアムの屋上のスカイガーデンも、24時間出入りすることができます。いつでも、気分を変えに屋上にあがることができるのです。また、入居者用のパーティルームもあり、誕生会等で利用することができます。日本や海外から友達が来たときにも利用できて、大人気です。

敷地から一歩も出ることなく不自由なく暮らせる完全リゾートコンドミニアムが、マニラ大都市圏内にあるのです。

オフィスから近い場所にプール付きのリゾート感覚のコンドミニアムがあるというのもフィリピンの特長のひとつです。

つまり、フィリピンで働きながら、帰宅したらプールに通って友達とパーティするという生活が叶うのです。今日本にいる人からしたら夢のような生活でしょうが、実際にそういった生活をしている日本人がフィリピンにいるのです。

日本に比べて生活コストが低いのも魅力です。

たとえば、フィリピンではスターバックスのホットカフェラテ（トールサイズ）で２７３円という安さです。クリスピークリームのドーナッツは１つ70円程度。コカ・コーラのペットボトルは70円です。さらに、ローカルの屋台となれば、ライス・おかず・スープのセットが１００円程度で食べられるお店も存在します。

野菜やフルーツも日本より圧倒的に安く種類も豊富です。日本からの移住者には、生活コストがかからないのも魅力だとよく言われます。

「老後を過ごすならフィリピンで」と言われるのがうなずける結果です。

フィリピンには街の不動産屋が存在しない⁉

読者のみなさまがフィリピン不動産を購入して気になるのは不動産を購入後に「賃貸物件として貸すことができるか？」ということではないでしょうか。投資物件として購入した場合は、それをきちんと貸し出して、きちんと収益を出したいと思うのは当たり前のことでしょう。

早速フィリピンの賃貸事情を申し上げると、全体的にかなり盛況です。みんなが都市部に集まり始めていることもありますし、フィリピンの人々がお金を持ち始め中流家庭が増えてきたおかげというのもあります。もともと、日本と同じように大都市圏内に地方から仕事を求めて出てきた人が賃貸物件に住むというベーシックなもの、大学の近くに学業のために出てきた学生が部屋を借りる、という日本でもお馴染みの光景がフィリピンにもあります。

ただ、賃貸物件を扱う町の不動産屋というものがフィリピンではほとんど存在しません。私の勤務する「DMCI Homes」では賃貸仲介のサービスも行なっておりますが、町には不動産屋がないというのが現状です。そのため、物件オーナー様から、よくお声掛けいただけるという現状でもあります。

たとえば、東京に出てきて、部屋を借りて住むとなると、不動産屋の店の前に貼られた賃貸物件の情報を見て、気になるものがあれば、直接聞いてみるというのもよくある光景ではないでしょうか？　もしくは、サイトを検索して、不動産会社の運営するポータルサイト内を閲覧し、場所や広さに加え予算といった条件に合ったものを探すことも多いでしょう。

しかし、フィリピンではこうした賃貸物件の不動産屋は、極めて少ないのです。また、日本のレインズ（国土交通大臣の指定を受けた「指定流通機構」によって運営される不動産情報ネットワーク）のような情報システムもまだありません。

では、フィリピンの人たちはどうやって賃貸物件を貸しているのでしょうか？

答えは、「入居募集は賃貸仲介の不動産会社や個人のブローカーを通じて行なう」のです。ただ、フィリピン人なら何人ものブローカーに声をかけて借り手を探すことができますが、日本人にはそのツテがないという状況があります。

そのため、私たち「DMCI Homes」へのお問い合わせが重要になってきます。

逆にフィリピンの人はどうやって借りたい賃貸物件を探しているかというと、こちらもまずは「人づて」です。親兄弟からはじまり、親戚一同、次は友人、さらには友人の友人という広がりの中で不動産物件を探すというのが一般的です。日本人からすると少々驚かれるかもしれませんが、いかにも〝フィリピン〟らしいやり方です。

日本であれば、不動産業者がその物件を管理して、大家と連携して、借り手を募集しますが、そうしたスタイルがまだまだ確立されていないからこその、フィリピンの不動産事業の熱気。この件に関しては第五章で「代理店選び」に関する項目にてご説明させていただきますが、賃貸も考えて不動産を購入されたい場合は、ぜひ「DMCI Homes」にお声掛けください。

フィリピン不動産にも罠はある

今回、「DMCI Homes」のコンドミニアムをご購入いただき、アンケートにお答えいただいだ加藤様のご回答に、こんなものがありました。

「フィリピンの不動産購入時に、中間業者が高い値段で売り付けてくる場合もあります。現地のフィリピン人だけでなく、中間業者の日本人がそういったことをする場合もあるので、事前の情報収集は必須です。」

そうなのです。相場より高めで不動産業者から買わされてしまった。ということはよくある話です。ぜひ、購入される際には細心のご注意を払っていただきたいと思います。

ちなみに、「DMCI Homes」の物件を扱う日本の正規代理店は、「Ram Homes Allied Services Inc.」とのライセンス契約をしています。だからこそ安心して取引ができ、高い値段で売り付けられることもありません。加えて、先述したように賃貸サービスにも対応しておりますので、全方面からサポートできます。契約代理店については後述します。

また詐欺以外にもこんな例もあります。

1.物件の支払をフィリピンの銀行口座からの自動引き落としで支払をしていたつもりでいたが、口座残高不足で毎月の支払がうまくできておらず、未払い期間が長期間となりペナルティが発生し、結果的に物件を差し押さえられてしまった。

2.物件を購入し、現地で知り合ったフィリピン人に管理をお願いしたら家賃を持って逃げられた。

3.賃貸運用をお願いしたら、勝手に部屋を無断使用されて住まれていた。

4.プレビルドでコンドミニアを購入したが、物件のデベロッパーが倒産したため、完成することなく建築計画が頓挫、泣き寝入りした。

こんなことを避けるためにも、しっかりとしたディベロッパー、販売代理店を選ぶことをお勧めします。たとえば1の件であれば、ちゃんとした代理店であれば、支払いについてもしっかりとしたサポートが受けられます。2、3に関しては、信頼できるパートナー選びが重要です。販売代理店がその後の賃貸付けや管理を代行してくれる会社もあります。4はできるだけ財務状況のしっかりした大手企業の物件を購入することをお勧めします。

また、物件の支払や運用の管理に問題がないにもかかわらず、フィリピン不動産（信用度が高い物件を買い、物件価格も上がっているにもかかわらず）で失敗してしまう人もいます。

それは、支払える予定だった月額支払や残金が、購入者の経済状況の都合で支払えなくなってしまうということです。これはフィリピン不動産に限らず、すべての事業でいえることかもしれません。

基本的に、フィリピン不動産のローンはノンリコースローンです。日本での通常のローン（リコースローン）は、借り手の信用によって融資をしますが、返済の原資は借り手の全財産が返済責任を負うことになります。一方、ノンリコースローンは、返済の原資（元手）とする財産（責任財産）の範囲に限定を加えた貸付方法です。責任財産限定型ローンなどともいわれています。

フィリピンで不動産を購入する場合、借金ではなく積み立てで毎月支払をしていき、完済された段階でその物件の権利がディベロッパーから購入者に名義が変更されるという仕組みになります。

プレビルド物件の毎月の支払が3か月間滞ると、今までいくら支払をしていても物件がディベロッパーによって没収になってしまう可能性があります。したがって物件完済までの資金繰りを計画的にしていただくことはとても重要になります。

フィリピン物件を購入される方には、フィリピン不動産物件を投機目的で購入され、物件完成までに売却され、利益を確保されることを計画される方もいらっしゃいますが、その場合にも、資金繰りには余裕を持って検討されることを強くお勧めします。

物件の価値が上がっても、未払いにより物件が没収されてしまえば、今までの支払分は無駄になってしまいます。ただ、**ノンリコースローンにも利点があります。いわゆる「借金」をして購入するわけではないことです。**いつでも物件を手放してキャンセルすることができ、その場合残務返済の必要はありません。仕事に変動があったり、家族に事情ができたりしたら、すぐに手放せる。その身軽さも、フィリピン不動産のメリットです。

永住権が取りやすいフィリピン

フィリピン不動産を勧める理由は沢山ありますが、そのひとつは**永住権の取りやすさ**です。**一般的なものは、SRRV、クオータビザ、ASRV(旧APRV)の3種類です。**他国と比べても永住権が取りやすく、住むのにもってこいです。

その中でもお勧めは、フィリピン退職庁が発給するSRRVです。ちなみに、フィリピン退職庁とは、「リタイア後の長期滞在を目的とした人にフィリピンの魅力をプロモーションする、フィリピン政府直轄の機関」です。退職庁と聞くと驚くと思いますが、フィリピン政府がリタイア後の外国人を歓迎しているのは疑いようがありません。

それでは、3つの永住権について詳述していきましょう。

1. SRRV

SRRVとはSpecial Resident Retiree's Visaのことで、「リタイアメントビザ」ともいいます。50歳から取得でき、日本人が永住権を取るのにもっともポピュラーです。

SRRVビザの取得時には、供託預金（保証金）が必要です。1万〜5万USドルから（1USドル140円で計算して、日本円で約140万〜700万円）になります。また、不動産を購入もしくは賃貸をすることで住所の確保が必要にはなります。取得に必要な滞在期間は30〜40日で、1年ごとの更新となっています。

同伴の家族2人まで1つの預託金枠に含まれるので、ご家族で申請する場合には次に説明するクォータビザよりも取得費用を安く抑えることができます。

「スマイル」と「クラシック」があり、不動産購入を目的と考えると「クラシック」がお勧めです。というのは、取得時に支払う供託預金を「スマイル」ではロックされてしまいますが、クラシックでは不動産購入・フィリピン株購入等などの投資に転用できるからです。投資額が5万USドルからにはなりますが、コンドミニアム購入を考えると5万USドルはかかるものなので、必ずしも高いものではないと思います。

なお、コンドミニアムへの投資転用できるものは完成物件か、PRA（フィリピン退職庁）が認可している建設中の物件のみとなります。また、供託預金を引き出せるのは、権利書を受け取ってからとなります。

申請料として1400USドルと、ご家族同伴の場合はひとり300USドルがかかり、毎年、年会費360USドル（※3名まで同金額）を支払うことになります。

このSRRVがフィリピンの国が認める一番安心で確実とされる永住権となります。

ただ、不動産購入を考えている人からしたら、大きな額ではないでしょう。供託金以外はあまりお金がかかるわけではないので、気軽に永住権を取得できるというメリットがあります。

2.クオータビザ（Quota Visa）

クオータビザとは「特別割当永住査証」と呼ばれる永住権です。さらに、日本人は特別扱いされており、1年につき定員50人まで取得が許されているのです！　日本とフィリピンの友好的な関係がうかがえますね。20歳以上で犯罪歴がなく、必要な医療検査をパスした人に公布されます。初回申請時には、フィリピン政府が認めた銀行に5万USドルの残高証明が必要になります。

50人の定員に達し次第、受付が締切られますが、毎年1月10日ごろを目処にリセットされます。1月10日ころにリセットされると、再び定員50人で募集が開始されます。

メリットが大きい反面、1年間に取得できる方の数は50人。また、取得には特別なコネクションが必要ともされており、その費用は高額であるようです。

3. ASRV

ASRVは、APECO Special Resident Visaの略で、フィリピンのオーロラ州の開発事業に投資することでビザが取得できる永住権です。こちらは、取得可能年齢に制限はないという点がSRRVやクオータビザの供託預金と異なるところです。ただ、事業開発支援金で投じた資金は永住をしなくなっても戻ってこないお金になります。

それでは次に、ビザ申請時に必要な書類をまとめます。これらは、まず、日本で準備しておきましょう。

【日本で準備しておくもの】

1. アポスティーユ認証済みの犯罪経歴証明書
2. アポスティーユ認証済みの戸籍謄本（配偶者およびお子様も取得の場合）
3. アポスティーユ認証済みの年金証書（年金受給枠で申請の場合）

この「アポスティーユ」とは日本の官公署，自治体等が発行する公文書に対する外務省の証明のことです。次にフィリピンでビザ申請時に必要な書類です。どちらも絶対必要なものなので、早め早めの準備が必要になります。

【フィリピンで準備するもの】

1. 健康診断書
2. 証明写真

3．観光ビザ延長費用

4．NBIクリアランス（無犯罪証明書）

以上が必要書類となります。「あれ、意外と簡単じゃん！」と思われた方のほうが多いでしょう。犯罪経歴証明書も、戸籍謄本も年金証書も一日あれば取れます。フィリピンで必要な健康診断書や証明写真、NBIクリアランスも、「まあ実際大事だよね」と頷けることと思います。

また、第五章で改めて触れますが、プレビルドで購入をした後も、ディベロッパーから英語でさまざまな文書やEメールで送られてきます。この中には契約に関する重要な文面も多く、この対応をしなかったがゆえに不利益を被ることもありえます。しかし、この点に関しては日本での正規代理店が業務遂行していれば、問題はありません。頼れるところはすべて頼っていくのが、不動産投資ではお勧めです。

また、代理店選びについて、後述しますのでご安心ください。

"生の声収録"

DMCI物件購入者に聞く、不動産の魅力とは。

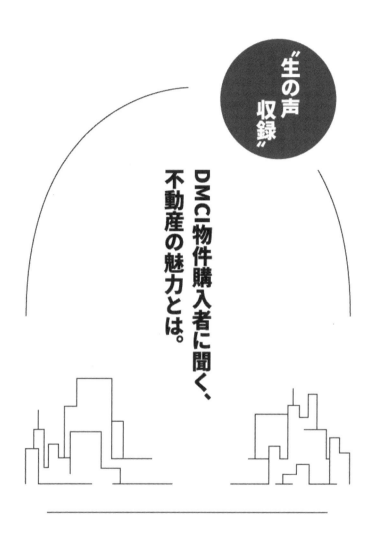

「DMCI」物件購入者に聞いた！ フィリピン不動産の魅力とは。

私、桐原が、6人の購入者にアンケートを取らせていただきました。項目は以下の8つです。ぜひ参考にされてください。本文中にも多少引用していますが、まずはこのご回答をご覧いただくことが一番の説得力なのだと思い、三章を読んでいただく前に出させていただきました。

1. なぜフィリピンに不動産を購入されましたか？　なぜそれ以外の国ではなかったのですか？
2. 「DMCI Homes」の魅力について。
3. 「DMCI Homes」の物件を購入する決め手は何でしたか？

4.購入してみていかがでしたか？

5.日本（現在お住まいの国、育った国）とフィリピンの国を比較してどう思いますか？

6.日本（現在お住まいの国、育った国）とフィリピンの不動産を比較してどう思いますか？

7.フィリピン不動産の難しいと感じること、注意したほうが良いと思っていることは？

8.これからフィリピン不動産の購入を検討されている方へのアドバイスをお願いします。

夕月様

会社員としてお勤めをしながら、10年ほど前から日本国内の一棟物のアパート経営を始め、現時点で資産200億円を作ったスーパーサラリーマン。月曜日〜金曜日 朝9時ー夕方6時まで会社で働き、週末や祭日は新規不動産物件を買いに日本中を飛び回る。5年前から「DMCI Homes」の物件を買い始めすでに20ユニット以上を所有。個人の日本人のお客様の中で一番購入いただいています。オカダマニラ至近の「DMCI Homes」の高級物件オークハーバーの最上階ペントハウスの最高級ユニットを購入されています。また、すでに所有されている物件で一番投資運用実績を残されている方で第一章の後でアドバイスただいた方でもあります。

(自己紹介) 金なし、コネなし、経験なし、から、MBAや、投資術学び、世界中の不動産を3桁億購入し、毎年20億以上購入しています。経営も数十社の代表をしています。国立大の大学院を卒業後、上場企業に就職するも、5年後に出世競争に敗れ、準うつ病に、5年患い、その後、日本から逃げ出たし、世界旅行しながら、南米の七大陸最高峰に登山中死にかける。なんと、血中酸素濃度50％を切る瀕死状態に。ベースキャンプのドクターより下山しないと24時間以内に死ぬと死の宣告を受けた。下山後に、世界三大瀑布イグアスの滝に打たれ、自己の使命に気づく。自分のような準うつ病で夢がなくなったサラリーマンに、夢を与えるリーダーになりたい！

志をあらたに、日本に帰国後サラリーマンしながら、投資、経営を開始し、現在に至る。

死ぬこと以外、怖いものはない。普段は、サラリーマンでITエンジニアをしながら、投資家、経営者の仕事を、どの立場も楽しく仕事しています。毎日、好きなときに仕事をして、遊びたいときに遊んでいます。最近はビジネスのスタートアップが楽しいです(^^)。

フランス生まれ、日本国籍、フィリピン永住権取得済み。英語、フランス語、中国語、少し話せます。早大、マギル大学、中央大、立教MBA essential受講。個人の投資、経営では不労所得年15億円以上、営業収入は年5億円を達成。サラリーマンとしては社内ベンチャートライ中、世界一の医療会社の立上げ案あります。

両親の影響で、社会貢献、ボランティア、国連NGOの個人会員になって、余ったお金を寄付しています。

1.フィリピン不動産にしたのは、以下の3つです。

・人口ピラミッドが良い。

・総人口が多いうえ、人口増加中。

・永住権取得が安くできる。

2,3は、

・リーズナブルな価格。

・現地のフィリピン人も購入している。

4.実際に儲けています。

・販売価格が、2年で1.5倍以上になった。

・賃貸に出して、利回り8%が16%と2倍になった。

5.どちらも物件の場所が良ければ成功します。

・日本は融資金利が安いので、フルローンすべき。
・フィリピンは金利高いので、現金で購入すべき。

6.世界の不動産の基準、投資対象は利回り8%目標。
7.建築が遅れても支払いは継続するため、毎月の支払いだけでなく、ターンオーバーのときに余裕を持って支払うように現金を用意しておくこと。つまり購入物件の総額を現金で払えるくらいの余裕資金で投資すること。儲かるからギリギリのお金で購入すると、失敗しやすい。
8.フィリピンの国、物件を必ず見てから購入する事。似た不動産にも、優良物件とクズ物件があるので、部屋もしっかり図面を見て購入すること。

長野様

私が入社2年目でまだ全然売れなかったときに、ブリオタワーのモデルルームでお客さんをお待ちしていたときに60代日本人男性がお立ち寄りになり、それが長野様でした。いきなり即決で5ユニット買ってくれました。友達以外で最初にお部屋を買っていただいたお客様です。また、そのときに同行されていた2名の男性もそれぞれ3ユニット、2ユニット購入していただき、その日いきなり10ユニットを売ることができました。

長野様はアパート、マンション経営の他にAirbnb、通称エアビー（短期貸）で湯河原や箱根の一軒家を外国人に貸し出して成功させました。

しかし、これからの日本の不動産は暗いということで所有のアパート3棟を売却し、その売却費用の一部を「DMCI Homes」物件購入にあてていただきました。現在は移住され「DMCI Homes」のブリオタワーに住みながら所有しているお部屋をご自身で内装し、賃貸付け、管理をされています。壁紙もご自身でされています。やり方はすべてGoogleとYouTubeを見て独学で学んだとのことです。

1.働いていたころに、外資のプロジェクトマネージャーをしており、同時に日本の賃貸不動産を経営していました。その際に将来の日本の姿を考えたとき、少子高齢化が顕著で、2025年には4人の労働者が一人の年金生活者を支えるという現実があることを知りました。ですので、仕事で海外出張しながら、アジア圏をメインに海外の様子をうかがっておりました。海外に投資先を模索している中で、注目ポイントは、①国の政治リスク（共産国ではない、国の制度、反日でない）、②言語（英語が使える環境）、③将来性（経済的に伸び代がある）、④人口構成（ピラミッドかどうか）、⑤国民性（フレンドリー）、⑥その他（日本からのアクセスのしやすさ、宗教、主要産業、民族等）検討した結果、フィリピンに決めました。

消去法で考えると、アジア圏では以下の国が該当しないことになります。

①ベトナム、ミャンマー、中国、韓国
②ベトナム、タイ、インドネシア、カンボジア、ラオス
③マレーシア、シンガポール、韓国、中国、台湾、オーストラリア、ニュージーランド
④マレーシア、シンガポール、韓国、中国、台湾、オーストラリア、ニュージーランド
⑤韓国、中国、タイ、マレーシア、シンガポール

⑥オーストラリア、ニュージーランド、インドネシア
ですので、すべての点においてベストだったのがフィリピンでした。

2.フィリピンはアメリカが植民地体制を敷いていた結果、良かれ悪しかれアメリカナイズされていますが、「DMCI Homes」は意外と日本的な、カスタマーファーストを考慮してくれる部分があるので、それは一番の魅力かもしれません。

3.はじめて、フィリピンの投資案件ツアーをした際に6社の仲介業者を回りました。物件は主にセブ、メトロマニラを中心に見ましたが、仲介業者はどうしても仲介手数料をチャージしますし、物件に関しての知識はありません。「DMCI」では、日本人営業を配属していますので、物件についての説明が聞けたこと、仲介手数料は不要だった点でしょうか……。また、コンドミニアムで基本的に考えるポイントは、躯体構造、スラブ厚、防水処理ですが、地下に駐車場を設ける仕様の物件だったので、耐震性はべた基礎より安心でき

ました。屋上の防水処理も、実際に出来上がった物件を確認したうえでは問題なく対応できていました。デザインも、各部屋へのアプローチがホテルのような狭い空間ではなく、リゾート仕様であることが最大の買いポイントだったと思います。

4.住む人の快適さに焦点が当てられており、喧騒のメトロマニラ内にあって、別世界に住んでいる感じさえします。

5.日本は既に成熟した国ですが、残念ながら昔のような隣近所のお付き合いは、無くなりつつあります。フィリピンも今後そうなっていくのでしょうが、田舎のほうに住むなら、まだまだ人間同士の触れ合いが残っていて、古き良き時代の日本を思い起こせます。

6.日本の不動産は、豊臣時代の検地制度から来た歴史もあり、いまや完璧に管理された世界一の制度ですが、いかせん今後の需要を考えると、空き地、空室リスクが高まっていくと思われます。フィリピンは、登記制度もさることながら、所有の有無が不確かな土地も多く、管理の不明確さが酷いです。所得の二極化が酷いので、需要はあれども買い手は外資で、個人はよほど成功しないと、難しいのかもしれません。

7.フィリピンの土地は外国人の購入ができませんから、コンドミニアムの所有をするしか外国人では対応できません。フィリピン人と結婚して名義を配偶者にして購入は可能ですが、万一の際は、自分には何も残りません。ですので、民家を建てることのハードルは高いです。あと可能なのは法人で所有するパターンくらいでしょうか？

8.不動産は大きなお金が動くので、日本でもそうですが海千山千の人たちがいて、あなたを狙っています。日本ではさすがに、宅建免許を持った人が契約業務に対応したり、不実の説明は裁判沙汰になるので、最近は減っていますが、海外で、しかも大金をはたいて不動産を購入するとなると、安心できる会社か、物件かということは事前調査が必要です。不動産に対して知識がないなら、数名の人にヒアリングして聞き合わせるくらいの慎重さが欲しいです。海外で不動産を購入するとなると、知識がないこともさることながら、舞い上がってしまって、言われるままに契約書にサインすることがありますが、時間をかけて検討することをお勧めします。基本は、自分でしっかり確認する事です。

加藤様

1. なぜフィリピンに不動産を購入されましたか？　なぜそれ以外の国ではなかったのですか？

・平均年齢が20代前半であり、これから人口ボーナスを迎える国であり、経済成長が見込まれる。

・まだ、インフラ整備が終わっていない。

・英語圏かつ、物価が安いため、海外からの企業がこれからまだまだ進出してくる余地がある。

・契約書が英語であり、解読可能である。

2.「DMCI Homes」の魅力について。
・上場企業である安心感（資本力がない企業だと建設が途中で止まってしまう可能性がある）
・フィリピン国民向けの住宅のため日本人からするとリーズナブルである。
・シャングリラなど有名ホテルの建設の実績

3.「DMCI Homes」の物件を購入する決め手は何でしたか？
・友達がすでに購入していたので、なんでも聞ける環境である。
・桐原さん（日本人）がいるので日本語かつ日本クオリティで対応していただける。

4.購入してみていかがでしたか？
3部屋中、1部屋が昨年引き渡しになり、今年から賃貸に出したばかりなので、正直まだわからない。

5.日本（現在お住まいの国、育った国）とフィリピンの国を比較してどう思いますか？

まだまだ貧しいがこれから成長していくパワーを感じる。

6.日本（現在お住まいの国、育った国）とフィリピンの不動産を比較してどう思いますか？

日本より物価が安いため、日本では億ションのようなものを1000万円以下で購入できる。

7.フィリピン不動産の難しいと感じること、注意したほうが良いと思っていることは？

海外なので情報が少なく、信じていいのか判断するのが難しい。

8.これからフィリピン不動産購入を検討されている方へのアドバイス。
日本人を騙すのはフィリピン人だけでなく現地の日本人の場合もある。日本人経営の中間業者が高い値段で売り付けてくる場合もある。そのため、直接フィリピンのディベロッパーから購入するのがお勧めです。

新井様

1.なぜフィリピンに不動産を購入されましたか? なぜそれ以外の国ではなかったのですか?
フィリピンは経済成長が著しいところ、そして平均人口が若いのでこれからさらに伸びると思って不動産を購入しました。

そして同じアジア圏であること、親日国家であること、さらに公用語が英語であるということで、欧米諸国など海外からの投資もこれからさらに増えることが予想されています。

わたしは他のアジア圏にも不動産を所有していますが、たとえれば中国では所有権ではなく使用権しか買うことができません。フィリピン不動産は購入することできちんと所有権を手に入れることができます。

そしてなによりも、不動産視察したときに物件のクオリティを見て判断することができました。

プールやジム、テニスコートにバスケットコートなどがついているコンドミニアムの魅力は日本では億ションレベルのクオリティの高さです。

2.「DMCI Homes」の魅力について。

「DMCI」はフィリピンの財閥企業であり、クオリティの高さ、立地の良さ、そしてコストパフォーマンスに優れており、将来の不動産購入後の出口戦略を考える面でも、非常に魅力的な企業だと感じました。大手財閥系のディベロッパーなので工事の遅延なども一切なく本当に安心して購入できました。

「DMCI」のホームページから建設状況の進展も見ることができるので離れていても安心できていています。

3.「DMCI Homes」の物件を購入する決め手は何でしたか？

「DMCI」で購入をした決め手は日本人担当者（桐原さん）がいたことですね。物件のクオリティの高さですね、大手ホテルなども建設している実績、そしてなによりも母体が財閥企業でインフラをすべておさえている企業であり、国のプロジェクトなどを把握しているため、道や橋、さらには新しくできる駅などの情報を先に仕入れて、発展しそうな土地に建設しているということですね。そのため物件価格も他のディベロッパーに比べて安価であり、建物はしっかりしたものが完成します。

4.購入してみていかがでしたか？

購入して非常に満足しています、おかげで観光がてら毎年マニラにいく用事ができて、今ではマニラに毎年行っています、両親をマニラに案内できたり、友人と一緒に不動産を見に行ったり、人生が豊かになりました。

5.日本（現在お住まいの国、育った国）とフィリピンの国を比較してどう思いますか？

四季がなくフィリピンは常夏なので一年中過ごしやすいです。フィリピンは毎年行くたびに街全体の印象がガラッと変わるほど成長が早いと感じています。

マニラ中心街は本当にここがフィリピンなのかと思うほどブランド街だったり、高層ビルや高級ホテルなどが立ち並び、これから楽しみな国です。

6.日本（現在お住まいの国、育った国）とフィリピンの不動産を比較してどう思いますか？
日本では考えられないほどの経済成長をしているので、不動産の価格の上昇も期待できますし、人口がこれから増え続けていくというのも日本にはない魅力かと思います。すでに複数の不動産を購入していますが、すべての物件が右肩上がりで値上がりしています。

日本では人口減少が続けていることで空室が増えていますが、フィリピンでは人口が上昇しているのでマニラ中心部では空室率が日本の都心よりも低い水準となっています。

7.フィリピン不動産の難しいと感じること、注意したほうが良いと思っていることは？

為替変動などがあるのと、家具などをオーナーが揃えたりすることなどが日本と違うのでそこは注意が必要ですね。なにか現地の物件で発生したときに対応してもらえる物件を買うことですね。日本にはないクロージングフィーなど多少日本と違うところがあります。私は桐原さんが現地にいるので安心してお任せできています。

8.これからフィリピン不動産の購入を検討されている方へのアドバイス。

とにかく早く現地に行って物件の視察をすることをお勧めします。

街全体の発展やこれから先の成長の可能性などを体感できると思います。

実際に私も２０１４年に最初の物件を購入してから、その魅力にひかれて、どんどんと物件を買い増しております。

人口ボーナス、経済成長率などひと昔の日本のようにこれからフィリピン不動産市場はさらに活性化されると予想しています。

支払い方も複数用意されており、月数万円から海外不動産を購入できるのでぜひ興味があれば、現地に行ってみることをお勧めします。

近藤様

1.なぜフィリピンに不動産を購入されましたか？　なぜそれ以外の国ではなかったのですか？

2016年から、マレーシアで海外移住をしていて、マレーシアでコンドミニアムを購入していましたが、外国人最低購入金額制限が2回上昇し、相場より割高な物件しか買えなくなりました。

なのでアジア周辺国で、もう少し手ごろな価格帯で不動産が購入できる国を探していました。

将来性、人口形態、経済発展状況、地理的にもマレーシアと日本との中間地点で、長期滞在用ビザも取得可能ということでフィリピンにしました。

2.「DMCI Homes」の魅力について。

コンドミニアムの基本構造は統一化されていて、それにより、工期が短く、コストも低く抑えられていおり、他のディベロッパーに比べてリーズナブルな価格設定がされています。

「DMCI」本体は、上水道、下水道処理を政府から請け負っている財閥企業と聞いています。

フィリピンは台風などの水災害で、道路、1階が水没なんてことは日常なのですが、地理的なノウハウを活用してコンドミニアムを開発する土地を選定しているとのことなので、今まで供給してきたコンドミニアムで水没被害などはないと聞いています。

長年、フィリピンに定住している桐原さんが、日本語で対応していただけるので、フィリピン国外から購入手続き処理には助かっているところも大きいです。

3.「DMCI Homes」の物件を購入する決め手は何でしたか？

フィリピン視察の際に、複数の現地仲介業者、ディベロッパーとコンタクトをとって情報収集していた際に、「DMCI Homes」のコンドミニアムは基本構造は統一化されているため、公営住宅のようだという話がありました。なので桐原さんに、新旧のプロジェクトを直接見せていただいたときに、テナントが内覧している視点で見せていただきましたが、まったく気になりませんでした。恐らく私がターゲットにしているマーケットのテナントは誰も気にしないであろうと。

当時紹介プロジェクトと同レベルのコンドミニアム（フレアタワー）を見させていただいたときに、南国リゾート風で、高級感もあり、ユニットを購入されたキャビンアテンダントさんが出勤している様子も見られて、好印象だったことです。桐原さんが車で案内してくれたのでコンドミニアムの地下駐車場に停めたのですが、南国だと劣化が激しい物件もあるのですが、裏側も、よく清掃、メンテナンスされている印象でした。

4.購入してみていかがでしたか?

満足しています。買ったタイミングが良かったと思いますが、購入した物件の「DMCI Homes」が設定している現在価格（値上がり）には驚いています。今の日本では考えられないので。

5.日本（現在お住まいの国、育った国）とフィリピンの国を比較してどう思いますか?

日本と比較してというか、今住んでいるマレーシアと比較すると、マレーシアではイスラム圏なので、豚肉、お酒が制限されています。買えないことはないですが、流通量が少ないので、必然的に、高く、味がよくないです。

フィリピンは食べ物全般的においしく、日本からの距離も近いので、日本食材がマレーシアより安く、品揃えがよいので、住みやすい国だと思います。当初は、投資用物件のみ購入していましたが、自分たちが老後住むことを想定した物件も購入し、ビザの取得も検討しています。

6.日本（現在お住まいの国、育った国）とフィリピンの不動産を比較してどう思いますか？

私はベビーブーマー世代で、社会に出た時にはバブル崩壊、土地神話もなく、新しい不動産は、購入したら価値が下がるのが常識で、買うなら中古というのが海外に出る前までの常識でした。

明るい未来が描けないので、不動産という高価な買い物には消極的で、先にリスクのことを考えてしまいます。

対してフィリピンは、完成前のプレビルド物件での販売で、新品どころか出来上がるまで数年かかる時点での販売です。それらが驚くスピードで売れていきます。

理由はおそらく、完成するまでに値上がりしてしまうから、借金してでも購入しないと損するという、私の親世代が経験した、高度成長期〜バブル期がそのような不動産市場だったと聞いていたので、その状況に似ているんだと思います。

7.フィリピン不動産の難しいと感じること、注意したほうが良いと思っていることは？

マレーシアで海外生活6年目になるので、日常化していますが、フィリピンに限らず、海外では日本のように物事がきっちりしていないことが当たり前です。いい加減と感じることもありますが、失敗を許容する、わからないことは自己解決するぐらいの姿勢が大事だと思います。

8.これからフィリピン不動産の購入を検討されている方へのアドバイス。

フィリピン視察をして1戸目購入を決断したときですが、確たるものはなにもなく、手探りのなかで決断しました。

正直、購入後も正しい決断なのか悩みましたが、現在プレビルド期間も終わり、物件の受け渡し、テナント付けをしてやっとある程度の経験則での話ができるようになりました。

当時の状況を考えると、あやうい決断だっと思いますが、まだ周囲の注目をそれほど集めていないときのほうが、遊びの余地があり、反対に失敗しないと個人的に思い、思い切った決断をしています。

今は経験も知識もあるので、当時を振り返ると、当時のレートだと、ほとんどの物件がお宝物件だったといえるので、買って大損はしなかったと思います。

でも、これは結果論であって、その当時知る由もありません。

私が購入したころとは違って、情報も、参入者も格段に増え、購入価格も上昇している分だけ、遊びの余地はへり、購入リスクも当時よりは増えているはずです。

フィリピンの人口動態、成長率を考えると、まだまだ成長の余地はありますが、ご自身のとれるリスク範囲内で、飽和する前に、素早く判断できれば、失敗する要素を減らすこともできるのではないでしょうか。

投資だけではなく、老後のリタイアメントの準備など、別の意味を持たせることができれば、よりよくフィリピン不動産を所有する価値を見出せることができるかと思います。

張様

1. なぜフィリピンに不動産を購入されましたか？ なぜそれ以外の国ではなかったのですか？

フィリピンに不動産を購入した理由は左記、4点あります。

1）フィリピンは人口大国なのに平均年齢は23歳（負担が少ない、多くの労働力は経済発展の原動力になりますので）。

2）マニラ首都圏（Metro Manila）はフィリピンの唯一の経済圏です（多くのフィリピン人は出稼ぎでマニラに密集してしまい、住宅需要は旺盛です）。

3）日本、中国との距離が近いです。

4）信頼できる人（桐原様）がいます。

それ以外の国は上記の4点を揃えていないですので、購入対象外でした。

2.「DMCI Homes」の魅力について。

「DMCI」財閥はフィリピンのインフラ建設や数多くのコンドミニアム開発に大きく貢献し、国民によい安価な、快適のお住まいを提供することがモットーになっています。

3.「DMCI Homes」の物件を購入する決め手は何でしたか？
決め手は桐原様です。桐原様が居なければ購入しなかったと思います。

4.購入してみていかがでしたか？
購入物件の市場価格はわずか4年で、倍近く高騰し、投資資産として狙い通りでした。

5.日本（現在お住まいの国、育った国）とフィリピンの国を比較してどう思いますか？
活気があり、GDPはトップクラスです。日本は約30年変わらず比べものになりません。不動産といえば中国上海の推移と似てくるのでは？とあまく見積もっています。

6.日本（現在お住まいの国、育った国）とフィリピンの不動産を比較してどう思いますか？
ちょうどこの間にYouTube動画作成のため、私が購入したKAI GARDENと中国上海、日本東京のタワーマンション物件と比較してみました。マニラのコンドミニアム平米単価がかなりの水準であることはわかり、これから上昇傾向が変わりないと予想します。

〔参考〕YouTube動画：https://youtu.be/SCqexmr0AJo

7.フィリピン不動産の難しいと感じること、注意したほうが良いと思っていることは？
難しいと感じること：英語ですね。契約書、銀行振込などはすべて英語になりますので、すべて理解するのに時間がかかり、スピード感を求める場面では自力で限界感じます。
注意したほうがよいと思っていること：不動産投資は立地が命なので、対象投資物件はマニラ首都圏（Metro Manila）に限定しましょう。

8.これからフィリピン不動産の購入を検討されている方へのアドバイス。

組み合わせ：「DMCI Homes ＋ 桐原様」

私はこの組み合わせでなければ、購入しなかったと思います。

第三章

なぜ、DMCI Homesなのか？

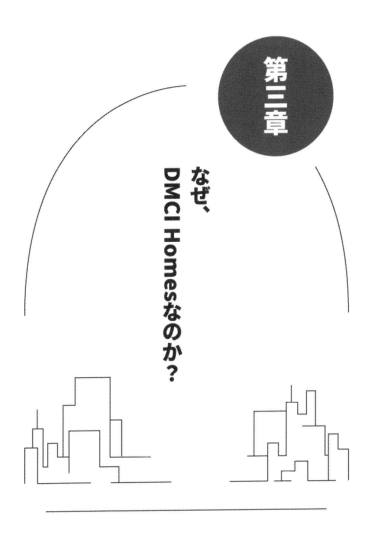

DMCI Homes の本社

ここまで読んでいただいた方の中には、すでにフィリピン不動産を購入したくなっている方も多いかと思います。でも、待ってください。どのディベロッパーの物件か、どこの販売代理店から購入するかは、とても重要です。なんといっても、ディベロッパー、販売代理店選びで失敗すると、大金を失ってしまうこともあるからです。

私が働いている「DMCI Homes」は、フィリピン最大手の「DMCI」の子会社だと説明しました。今回は、「DMCI Homes」の魅力をご紹介しながら、その〝安全性〟を具体的に説明していきたいと思います。

Q

DMCI Homes の魅力はなんでしょうか？

A

DMCI はフィリピンを代表する財閥企業であり、安心感がありました。また、物件のクオリティの高さ、立地の先見性、そしてコストパフォーマンスに優れています。不動産購入後の「出口戦略」を考える面でも、非常にサポートの手厚い企業だと感じました。大手財閥系のディベロッパーなので、過去に工事の遅延などもなく本当に安心して購入できました。「DMCI Homes」のホームページから建設の進捗状況も写真で確認することができるので日本にいても安心できています。結果的に遅れることなく完成し、引き渡されました。（新井様）

こちらは、私たち「DMCI Homes」から物件を購入した新井様へのインタビューの抜粋です。今までの総まとめのようなご意見で、「なるほど」と思った方も多いでしょう。せっかくなので、一つずつ詳述していき、みなさんの不安を取り除きたいと思います。

DMCI はフィリピン有数の財閥企業

日本人で三菱、三井の名前を知らない人はいませんよね。それと同じくらい、DMCI はフィリピンで有名な財閥企業です。

DMCI はフィリピン建国の父と言われる David Mendoza Consunji（デイビッド・メンドーサ・コンスンヒ）の起こした会社です。

デイビッド・コンスンヒは、フィリピン大学というフィリピンにおける東大のような

創業者 デイビット・メンドーサ・コンスンヒ

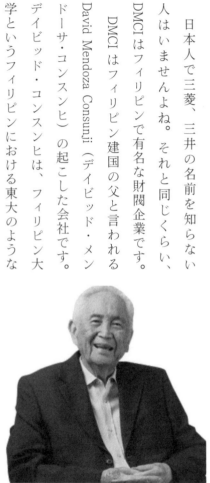

大学を卒業後、教師を経て、当時のマルコス政権下で運輸大臣を務めました。フィリピン国民の中でも有名で「フィリピン建国の父」ともいわれ、国民栄誉賞も授与されています。２０１７年に逝去された後は、息子のイシドロが遺志を継ぎ、グループを経営していて、フィリピンの第6位の財閥企業となっています。

デイビッド・メンドーサ・コンスンヒの頭文字に Incorporated の I を付けて名付けられたのが、「DMCI」です。創業は１９５４年。第二次世界大戦後にできた会社です。まさしくフィリピンが復興に向かっていくために立ち上がった建築会社でした。

創業当初は小さな会社でしたが、インフラ工事などを受注して地道に事業を拡大し、現在ではフィリピンを代表する財閥企業にまで成長しました。この、「地道な努力」と「チャンスを逃さない力」こそが、フィリピンの、そして投資家の力となるのです。

現在では「DMCI Holdings」というコングロマリット企業となっており、その不動産開発部門が私の所属する「DMCI Homes」になります。

「DMCI」が成長し続けてこられたのは、いくつかの理由があります。

「DMCI Holdings」は土木・建設を中心にしていますが、鉱業、不動産、エネルギー、電力、水道など広範囲にわたって、フィリピンのインフラ産業を支えてきました。なかでも歴史的に有名な鉱山開発や、エネルギー資源開発、上下水道整備事業といったフィリピン人の生活を下支えする産業に積極的に力を注ぎました。メトロマニラ（マニラ首都圏）の都市部の水道事業においても、「DMCI」が関わっております。またその他の事業として、ミンダナオ島を開発し、プランテーション（大規模農園）も展開しております。

包括的に事業を行ない、大々的に手を広げることで、より安く資材を入手でき、ノウハウも溜まっていくのです。その結果が、私の勤務する「DMCI Homes」の「値段の安さ」や、「クオリティの高さ」につながっているのです。

DMCI Homes ヒストリー

「DMCI Holdings」のグループ企業の中で私が所属しているのが「DMCI

Homes」ですが、ここの部門は、住宅と不動産開発を専門にしているディベロッパーです。もともと「DMCI」は自社でのコンドミニアムの不動産開発はせず、他社ディベロッパーの建築だけを請け負ってきた建築会社だったのですが、1997年の金融危機で転機が訪れました。

日本でも、景気は全体として停滞し、特に家計支出が低迷しました。バブル崩壊に伴って発生した様々な問題を早めに終えて、国の金融システムの再構築と機能向上が叫ばれていた時代です。

フィリピンも、そしてフィリピンの最大手企業「DMCI」も、1997年の金融危機の影響を少なからず受けました。そのとき、デイビッド・コンスンヒ氏は、こう思ったそうです。「会社の将来を考えたら、開発から建築、さらには販売まで、あらゆることを自社でやっていかないと、これからの世の中に対応できなくなるのではないか」と。

結果、住宅・不動産開発を専門にした部署が作られ、現在までに規模を拡大し続け「DMCI Homes」になっていったのです。

設立当初は20人足らずでしたが、経済成長の波を掴み、どんどん規模も拡大していきました。２０２２年12月には、メトロマニラ（マニラ首都圏）を中心に70を超えるプロジェクトが完成、または工事を進めている状況です。

たとえばオルティガスエリアに完成した「シェリダンタワー」というプロジェクトは、43階建てと41階建てが2棟あります。これを1プロジェクトと換算しているので、実際の戸数はみなさんの想像を大きく超えます。

20年で70プロジェクト、つまり建物数でいうと百数十棟、戸数（ユニット数）は10万室を超える規模なのです。２０２２年現在では社員も２０００人を超え、更なる進化を遂げています。それが、私の勧める「DMCI Homes」なのです。少しはご安心いただけたかと思います。

DMCI Homes クオリティ

ここで、「DMCI Homes」のコンドミニアムの仕様、施設についても詳述しましょう。内覧をする前に、詳しく物件を知りたい方も沢山いらっしゃるかと思います。

まず、「DMCI Homes」のコンドミニアムの魅力は、エントランスにあります。

エントランスは、一流リゾートホテルのように豪華で美しい空間演出をしています。

入ってきた瞬間に、心が華やぐような空間を。それが「DMCI Homes」のエントランスにかけた思いです。

リゾートホテルのようなエントランス

創業者の理念と想い

フィリピン建国の父ともいわれる「DMCI」の創業者デイビッド・コンスンヒ氏の理念は、**〃多くの人が、家族と充実した幸せな時間を過ごせる「HOME」を提供したい〃**というものです。

実はこの「HOME」に込められた深い意味があるのです。不動産開発部門の会社名も「DMCI HOUSING」ではなく、「DMCI HOMES」です。これは、なぜなのでしょうか？

英語の「HOUSE」は、単純に家をさします。つまり、即物的な建物でしかありません。しかし、**「HOME」というのは、その「HOUSE」で暮らす生活（＝LIFE）をも内包しているのです。**つまり「DMCI Homes」は高品質な物件を通じて、入居者により良い生活・人生を提供して行こうという強い理念があるのです。

「どうやったら、一人でも多くのフィリピン人が夢のマイホームを持てるのか」ということを社内で常に考えています。そして、「ただ買ってもらえれば良い」というのではなく、「入居者が近隣の人たちと、どうやって仲良くなるか」

「どうすればより充実した豊かな生活を送っていけるのか」、など購入していただいた後の生活のことまで考えています。

これも、「HOUSE」ではなく、「HOME」である由縁です。

さらには、今住んでいる家の資産価値が上がって、金額的な価値も提供したいというのが「DMCI Homes」の考え方です。

ここまで聞くと「そんなうまい話があるのだろうか？」と考える方もいることでしょう。でも、日本でも、TOYOYA の社員なら、外国人相手でも法外なお金を要求しませんよね。一度そんなことを許してしまえば、大企業すべての名前に傷がつきます。だからこそ、「DMCI」という大企業なら、安心なのです。

フィリピン最初の AAAA 評価

「DMCI」はフィリピンのディベロッパーとして最初に「AAAA（クアドロプル A）」ランクの認定がされています。これはつまり、さまざまな項目において基準をクリアした国際レベルのディベロッパーとして認定されているということです。この「AAAA」は、優れた実績と、物件の高いクオリティが高くないと受けられないランクです。

この「AAAA」ランク認定をフィリピン国内で最初に獲得したのが「DMCI」なのです。この称号は、「DMCI」がフィリピンで一番の建築技術を持っている建築会社であることの証明にもなります。

そして何よりも、「AAAA」のランクを持っていれば、「国際入札に参加できる」のです。これがどれだけ素晴らしいことか、建設業界に詳しい方ならピンと来るでしょう。

「DMCI」は「AAAA」認定後、フィリピン国内の建設工事だけではなく、海外の開発事業等の国際入札にも参加し、外国にも進出しているのです。

たとえばカタールやクエートでは、橋などのインフラを作っています。中東では、ドバイの高級住宅街で世界的にも有名な人工リゾート島の高級集合住宅、「パーム・ジュメイラ」の鉄道プロジェクトにも参加しました。

「パーム・ジュメイラ」はご存じの方も多いと思います。ドバイ政府が直々に作ったパーム・アイランド3島のひとつで、ヤシの木を模した形の人工島で、巨大かつ贅沢なプロジェクトです。観光地・別荘地として開発され、世界一のリゾート地になると言われています。テーマ・ホテルや三つの別荘地、海岸線沿いの集合住宅、ビーチ、マリーナ（ヨットの波止場）、レストラン、カフェ、小売店舗など、ありとあらゆるものが揃っている名所なのです。張り巡らされた鉄道網としては、ゆりかもめのようなモノレールがあります。

実は、その鉄道網の建設プロジェクトに日本企業とタッグを組み参加したのが「DMCI」でした。

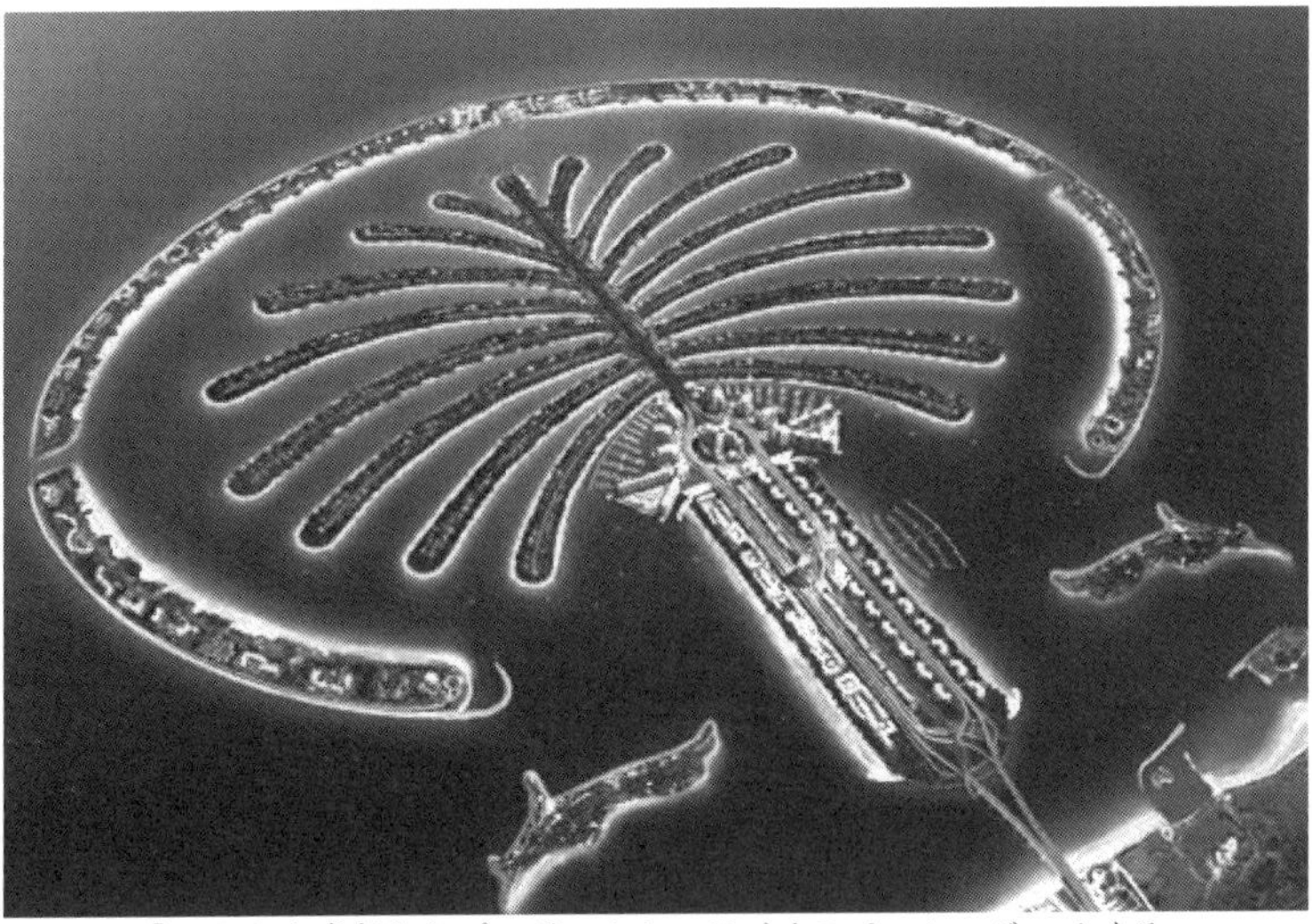

「DMCI」も参加したプロジェクト、ドバイのパーム・ジュメイラ

「DMCI」が世界でも活躍していることがご理解いただけると思います。

フィリピンの主要建築物も DMCI

フィリピン国内での建築ラッシュも、近年めざましいものがあります。その結果、「DMC Homes」の物件も増え続けているのです。技術の確かさと、竣工スケジュールの正確さなどで〝安心できる会社〟として、フィリピンの多くの有名な建築工事を請け負っているのです。

たとえば Makati Shangri-La（マカティ シャングリ・ラ マニラ）、Raffles Makati（ラッフルズ マカティ）、Solaire Resort & Casino（ソレイユ リゾート カジノ）などの五つ星ホテルの建築も、「DMCI」が手がけております。自社物件にかかわらず高級高層タワーマンションを、「DMCI holdings」の関連会社が建築を請け負っていることもあるのです。

マカティ シャングリラ・マニラ

ラッフルズ マカティ

ソレイユ リゾート カジノ

フィリピンを訪れた際に、観光をしていて「あ、これ良い建物だな！」と思う建築中の建物があったら、施工会社をチェックしてみてください。「DMCI」のロケットのようなトレードマークが見つかるかもしれません。

そのマークこそ、「DMCI」のロゴです。フィリピンのいたるところに見ることができるでしょう。フィリピンに行く機会がある方はぜひ、探してみてください。

「DMCI」のコーポレーショントレードマーク

量より質を。
ノルマより購入者の未来を

たとえば普通の不動産開発会社の営業会議では「今週は何件売れました」「今月の目標は何件」とか営業の数字目標を話し合うことが多いと思うのですが、「DMCI Homes」は違います。「DMCI Homes」社内で行なわれる営業会議では数字目標だけでなく「どうやったら、入居者同士が仲良くなれる関係が作れるのだろうか？」という課題に対して、アイデアを出し合ったり、「DMCI Homes」ができることは何なのかをみんなで話し合うという形なのです。一般的な会社とは大きく違うため、入社当初大変驚いたのを覚えています。

ノルマ、ノルマと数字にこだわっていては、「HOME」ではなくなってしまうのです。数を売り上げるよりも、質の高い家を沢山のひとにお渡ししていく、というのを実践しているのが、この会議風景でもおわかりいただけるかと思います。

常に時代の先を見て、本当にフィリピンを良くしたいという想いが非常に強い会社なのです。そしてその熱意が、結果的にフィリピン人の間でも評判になり、さらに売れていくという好循環が生まれています。私が入社してからのこの10年を見ても、国内外に「DMCI」の輪がますます広がっており、これからも拡大し続けることが予想されています。ここまで顧客満足の追求をまっすぐに実行している会社はフィリピンでも珍しく、世界でも有数の企業へと上り詰めた理由がわかるというものです。

広告宣伝費を抑えて物件価格を安く

通常、フィリピンのディベロッパーは、交通量の多い大通りや、人が多く集まる空港の大型ビルボードやLED広告といった媒体で不動産の宣伝をします。それによって、認知を広め、購買意欲を高めるのです。そして、それらの宣伝コストは不動産価格に上乗せされて販売され、結果的に購入者は多くの金額を支払わなくてはいけないのです。

しかし、**「DMCI」は違います。創業者デイビッド・コンスンヒ氏は「広告宣伝費を最小限に抑え、その抑えた分を物件価格に還元させることこそが、一番の広告宣伝」だという信念がありました。**

広告を出さない分、物件価格は大幅に値下げできるため、結果的に購入しやすい価格で販売します。そして、コストパフォーマンスが良い物件であるという口コミが新たなお客さんを呼び、より沢山の人が広告なしでも「DMCI」にたどり着くのです。

海外不動産購入ときは「安心」「信頼」を注視しましょう

不動産、特に海外不動産の投資先を選定するときに必要なのは「安心」して購入できるかどうかです。そして、ディベロッパーや仲介業者を「信頼」できるかというところに尽きます。

英語が得意と言っても、限度があるときもあるでしょう。法律がわからずに四苦八苦することもあるでしょう。不慮の事故が起こることだってないとは限りません。

その場合に、一番大事なのは、「安心」「信頼」となるのです。

「DMCI Homes」は多くのフィリピン人の支持を受けていますし、先述した創業者の経営哲学が根底にあるからこそ、海外の投資家たちからの評価も高く、実際の物件価格も右肩上がりです。**「DMCI」の安さと理念が付加価値となり、結果的に「DMCI に投資することが一番手堅い」とベテラン投資家の方に思ってもらえるようになったのです。**

「DMCI」と日本の関係性

とはいえ、フィリピンに関心のない人はそもそも「DMCI」を知らないかもしれません。ここで、日本との関係性も書いておきましょう。

2022年現在、「DMCI Holdings」グループ全体では1万人近くの社員がおります。「DMCI Homes」のみに絞れば、社員数は約2000人になります。会社のオーナー、役員、社員のほぼ全員が、フィリピン人で構成されています。ですが、10年前に私が入社したときに、初の日本人社員ということで会社全体から温かく迎えていただいたことを記憶しています。それは表面的なものではなく、皆が〝日本人〟である私に敬意をもって接してくれたのが驚きでした。実は、「DMCI」は日本と日本人を特に尊重する企業風土があるのです。

その理由は、第二次世界大戦後に遡ります。日本はフィリピンに対し、戦後補償やODA（政府開発援助）の際に、経済援助だけでなく、技術支援も行なっていました。

日本を代表する大手ゼネコンや商社といった民間企業が損得勘定抜きでフィ

リピン人に技術を教えたのです。そして、そのインフラ事業の多くを、フィリピン側のパートナーとして請け負ったのが「DMCI」だったのです。**「DMCI」はパートナーの日本人から高い技術力を学んだだけでなく、経営理念や経営方針の大切さ、仕事に対する姿勢など多くのことを学びました。**

そして、「DMCI」は〝**日本人から教えてもらったもの**〟を忠実に守り、その後の事業に反映させて、成長してきたのです。だからこそ日本に対して、並々ならぬ想いを持っています。

「DMCI Homes」が１９９４年に設立されたときのスローガンは「**尊敬する日本の一流企業のように値段以上の付加価値を提供できる会社になる**」というものだったと、「DMCI Homes」社長アルフレッドも社員総会で語っているほどです。フィリピンはもともと親日国ですが、それ以上の意味があると感じます。

だからこそ、「DMCI」は日本人に自社の不動産を買ってほしいと考えています。それこそが日本に対しての恩返しになると考えているのです。

空前の日本ブーム到来！

今、フィリピンは空前の日本ラブ&日本ブームが巻き起こっています。「日本食」「アニメ・マンガ」「音楽」「車・バイク」「テレビ番組」「YouTube」をはじめ、フィリピン人は今、「日本」にその熱い視線を向けています。

ちなみにフィリピンでは、毎日和食を食べられるくらい日本食が普及しています。焼き鮭定食、豚骨ラーメン、ゴーヤチャンプル、そばめし、大根おろし蕎麦、お雑煮……と豊富なラインナップがあるのです。それも、フィリピン人向けに味付けされた物もあれば、日本で食べる日本食と遜色ない、きちんとした日本料理になっている物もあり日本食のニーズが幅広いことも特筆すべき点です。

フィリピンの日本ブームが、「DMCI」の物件価値にも良い影響を与えています。コンドミニアムを「日本人が購入した」ということや「日本人が住んでいる」ということでその物件の価値が上がるという現象が起きているからです。

たとえば、「DMCI の物件を日本人が購入している」という話が出るだけでフィリピン人の間でも、「日本人が認めるクオリティなのだ。では、自分たちも買おう」と物件購入する方も少なくありません。

それほどに、フィリピンでは日本人に対する信用度、好感度が高いのです。同じ日本人として、嬉しい限りです。国同士の歴史が色々とあるとしても、嫌われるよりは尊敬されるほうが嬉しいですし、生活がしやすいのです。

さらには、「日本人と同じ物件を買えば、日本人とお友達になれるかもしれない」「日本人と一緒に何かできるかもしれない」と考えているフィリピン人もいます。商売の為ではなく、ただ友好のためにそう考えているフィリピン人がいることに、感涙したこともあるほどです。

第四章

他社デベロッパーとDMCI Homesの違い？

ここまで読んだ方は、すでにフィリピンの不動産投資に並々ならぬ関心を持っていることでしょう。でも、不動産投資をするときには「デメリット」もきちんと把握することが必要です。それこそが、投資家の大事なポイントです。

では、フィリピン不動産のデメリットや買う際の注意点とはなんでしょう？「DMCI」の企業理念にのっとって、包み隠さずお伝えしようと思います。

Q

DMCI Homes の物件を購入する決め手は何でしたか？

A

フィリピン視察の際に、複数の現地仲介業者、ディベロッパーとコンタクトをとり、情報収集していた際に、こう聞きました。「DMCI Homes のコンドミニアムは、基本構造は統一化、標準化されている」と。それなら安全だと思い、桐原さんに完成済みの新旧のプロジェクトを直接拝見させていただきました。

物件探しをしている企業や社長が内覧している視点で懸念点を抽出し、確認しようと思っていましたが、懸念点はありませんでした。

当時紹介していただいたシェリダンタワーと同レベルのコンドミニアム（フレアタワー）を見せていただいたときに、南国リゾート風で、高級感があると感じました。また、部屋を購入されたと思しきキャビンアテンダントの方が、コンドミニアムから出勤している様子も見られて、好印象だった記憶があります。

桐原さんが車で案内してくれたので、物件の地下駐車場に停車した際に駐車場エリアも視察させていただきました。南国の物件だと劣化が激しかったり、メンテナンスが疎かになっていたりするものですが、物件裏側もよく清掃、メンテナンスされており好印象でした。

（近藤様）

こちらは、私から物件購入を決めた近藤様にインタビューした〝生の声〟です。フィリピン不動産を買うなら「DMCI Homes」が手堅いと言いましたが、そのなかでも、コンドミニアムの作りの良さは沢山の方に評価していただいております。

みなさんも、購入の際には、日本国内物件探し以上に注意が必要になるかと思います。ここで、いくつかの考慮したいポイントを箇条書きにしてみます。

1. 外国人投資家向けに割高で販売しているディベロッパーが多い。
2. 小規模の会社では、竣工が遅れたり、欠陥住宅である場合もある。
3. 小規模の会社では、保守管理などの販売後の管理体制は整っていないことがある。
4. 小規模の会社では、物件の場所は将来性がある価値ある立地でないことがある。

この4点が、大きなデメリットポイントです。順に説明しながら、詳しく語っていきたいと思います。

平米単価で見極める

まず、１の外国人投資家向けに割高で販売しているディベロッパーも多い、という点ですが、大事なことは「買おうとしている物件が適正価格であるかどうか」を見極めることです。ただ、見極めはきっと難しいでしょう。自分の国以外にある、土地勘のない場所ですから。

その物件が割高かどうか、ということは現地に行って情報収集したり、いろいろ見比べたりしないといけないと思われる方も多いと思います。そんななか、私たち「DMCI Homes」は値付けの基準として「平米単価」を指標に考えています。

平米単価とは、物件価格÷平米数で割りだされるものです。

平米単価の平米数はバルコニーも部屋のサイズに含めて計算してください。この平米単価がどのくらいの基準に設定されているかは物件選びにとって非常に大きなポイントになってくるのです。これは日本にいても簡単に計算できる方法ですので、検討している物件があればぜひ算出してみてください。

たとえば、同じ立地に同じクオリティの物件が2つあったとします。それを比べるとき、どちらが割高なのか、割安なのかを判断する指標のひとつになります。この平米単価が割安なのが「DMCI Homes」で、自信がある部分です。

また、中小企業のディペロッパーには気をつけてください。竣工が遅れたり、完成後の保守管理が徹底されていないなどの不手際があったら、せっかく買ったのに台無しになってしまいます。

竣工の遅れはどうしたら？

次に2に関する話をします。優良な物件を選ぶことは後々の資産価値にも関わる大切なことです。でも、みなさん、竣工の遅れに関しては、どう思っていますか？ フィリピンの建築事情を正直に申し上げると、まだまだ、竣工の遅れは目立ちます。正直な話、「DMCI Homes」以外のディベロッパーの多くは竣工が遅れているのが現状です。

では、なぜ竣工が遅れるのでしょうか？ 今、フィリピンは毎年堅調に経済成長をし続けています。実は、この経済成長がネックになっているのです。

この経済成長に乗って、多くのディベロッパーが不動産開発をし、販売しています。どの物件も完売が続くほど経済成長が著しいわけですが、続々作られることで、そのスピード感にディベロッパーの建築計画が追いついていないことがあるのです。

こんなに人が溢れているフィリピンですが、建築業に携わる職人の人数は限られます。特に優秀な職人、現場監督であれば、どのディベロッパー、建築会社でも取り合いになるわけです。

ですが、「DMCI Homes」は遅れません。それはなぜか？

ここでもやはり、フィリピンで最大手の建築会社が母体ということが効果を発揮します。

最大手の建築会社であるということは、フィリピン内の優秀な職人を十分に確保しているということでもあるのです。職人としても、やはり安定した会社で長く働きたいので、中小企業よりも「DMCI」を選びます。日本人だって、中小企業より、TOYOTAや三井物産を就職先に選びたがりますよね。

そもそも「DMCI」という会社はフィリピンのインフラの多くを作っている会社であり、道路や鉄道、空港や橋、建物や街であったりという公共性の高いものを作っているため、職人の数は常に多めに確保していないといけません。だからこそ、人材が足らないということは起きにくく、竣工の遅れが出ないのです。

ここで、中堅以下のディベロッパーの実情も述べておきましょう。

まず、大手ではないので、人材確保が困難になります。その結果、竣工が遅れます。人材確保ができないと外注するしかなくなるので、上乗せが出てしまい、結果的に割高になります。それならまだ良いのですが、金額面を補うために手を抜かれたり、資材を安くしたりということに繋がります。建築ラッシュは人材不足だけではなく、資材不足も深刻な悩みのひとつです。人も足りないし、資材も足りない、という悪条件になってしまうわけです。

先ほど「DMCI Homes」は人材確保ができていると述べましたが、では「資材はどうだろう？」と思われるかもしれません。ここでも、「DMCI Homes」は大企業という強みがあります。資材確保というのは昔から、「企業の力」によるものが大きいのです。力のある企業には適正価格で豊富な資材が確保できるのです。反対に力のない企業というのは資材を確保するのも難しいだけでなく、割高になったり、質の悪い資材を購入させられたりするわけです。これが結果的に欠陥に繋がったり、竣工の遅れに繋がります。

だからこそ、物件を選ぶ際には力があって、財力に余裕がある会社を選ぶべきなのです。特に、高層マンションを作るということは、大プロジェクトとなり、お金もかかります。こうした大きなプロジェクトをすべて自社で作れるぐらいの力のあるディベロッパーでないと、物件としてのリスクが発生するのです。

この危うさはフィリピン不動産の購入方法である「プレセール」にも反映されます。ディベロッパーで資金力がない会社は、物件を建てる際、先に資金集めをしようとします。「お金がないけれど、こういう物件を作りますよ」という宣伝をして、販売します。その宣伝をもとに集まった人たちからの予約金や購入のための毎月の支払いをまとめて、建築資金にしているのです。その結果、お金を集めて、建設して、入って回しての自転車操業になるわけです。その物件が人気を博し、結果的に物件が完売したら、ディベロパーとして大きな収益が上げられるわけですが、すべての販売活動がうまくいくわけではありません。建築資金が回らなくなって物件が頓挫するというケースも今までもあったため、中堅以下の会社はお勧めしません。

なお、物件竣工の遅延に関してはどのディベロッパーも補償、補塡は通常ありません。遅れによって支払を猶予、延期してもらえることもありません。すべては最初の売買契約書の支払計画に基づいて支払は発生していきます。

このことは物件購入時の売買契約書（Contract To Sell）にも記載されていることがほとんどです。また資金繰りがうまくいかなくなり、物件が頓挫してしまえば、今までの支払ったものが白紙になってしまう可能性さえあります。

もちろん、「DMCI Homes」は会社として盤石の体制なので、こうしたことはありません。発売物件の売れ行きにかかわらず、自社で最後まで作れるだけの十分な財務力も開発前からありますし、開発前に全ての建築資材を購入してから工事が始まるので鉄や資材の価格に左右されることなく高品質な建築開発に専念できるのです。

もし、現在、「DMCI Homes」以外のディベロッパーの物件の購入を検討されておりましたら、そのディベロッパーの過去の物件の完成時期に遅れはなかったか確認されてみてほしいと思います。

管理体制や有利な土地

ディベロッパーの中には、部屋完成後のフォローアップがなく、購入者ご自身で運用管理しないといけない会社も多くあります。この点が3のデメリットの話になります。これでは、手間暇がかかってしまいますよね。海外不動産を投資として購入するならば、手間がかからないことに越したことはございません。「DMCI Homes」は社内に賃貸を扱う専門部署があるため、安心してお任せいただけます。また、不動産を購入するにあたり、将来性のある良い立地の物件なのかは非常に重要です。土地勘がないなか､見極めないといけませんが、「DMCI」はフィリピンを代表する一番の建築会社であり、インフラ工事などを受注している関係から、将来性のある土地を早くから見つけることができる数少ない会社です。将来的なインフラ計画などを見通した上で、その土地がどれくらい価値があるのか、今後どれくらい高騰するかということを見極められるのです。

活性化しているフィリピンだからこそ、一番価格が上がる土地の物件を購入したいですよね。それを叶えるのが、「DMCI Homes」なのです。

開発計画を熟知しているメリット

最後は４に関してです。「DMCI Homes」はコンドミニアムを開発して25年で70ほどのプロジェクトを販売してきました。その全物件、全部屋において今のところ値下がりした物件はありません。これがどれだけ素晴らしいことなのか、不動産投資をしている方ならご理解いただけるでしょう。

20年以上前に開発された物件がいまだに値上がりすることもめずらしくありません。

「DMCI Homes」の物件には大規模なプロジェクトなものも少なくありません。複数棟の高層マンションを、時期をずらして順番に建築、販売を行なう手法をとってきました。こういったプロジェクトだと、完成後に次々と新しい物件が建てられますが、同じプロジェクトの中古物件も値上がりし続けているのです。

また、物件にもいろいろなケースがあります。予約時から人気があって予約完売した物件と完売するまでに時間がかかるという物件もあります。しかし、人気がなくて完売まで数年かかった物件でさえ、今なお上がり続けているのです。フィリピンの景気の良さがうかがえます。

この間、フィリピンはずっと経済成長をし続けている、というのが大きな理由ではありますが、「DMCI」が厳選した価値ある物件であるということも要因のひとつであることは間違いありません。

今現在も多くの新プロジェクトを「DMCI Homes」は開発し続けていますが、日本人オーナーの多くが投資目的で物件を購入される方が多いため、将来性の高い物件のみに絞りご紹介させていただいております。それは「DMCI」が発売開始されてから完成する5年後以降に価値が高まるエリアに絞って不動産開発をしているからです。買いやすさはもちろんですが、これからその地域が発達するかどうかを見極めています。橋ができる、地下鉄の駅ができる、などのさまざまな状況・環境を加味して、日本の人たちには選び抜いた物件だけを販売しております。

さらに申し上げると、物件によっては部屋の日本人優先販売枠を確保しているという点も重要なポイントです。つまり、日本の購入希望者の方に特別に同じプロジェクトの中でも価値の高い部屋を優先的に販売できるのです。

「なぜ、そこまでするのか？」と疑問を持つ方もいらっしゃるでしょう。

なぜなら、それが日本人への恩返しになるというのが「DMCI Homes」の考え方だからです。

また、私たちのブランディングのためでもあります。親日のフィリピンでは、その物件を日本人が買ったり、入居するとその物件の価値が上がると思われていると先述した通りです。たとえば営業マンが「この物件は日本人も何戸買っているんですよ」というと、フィリピンの人たちは「じゃあ、私も買いましょう」となるわけです。

「DMCI」が日本を海外の主要マーケットとして販売し始めたのは、私が入社したときからなので、まだ10年足らずです。ですから、その当時は日本の方に5年後に完成する物件を期待と信用で購入していただきました。よって完成後は購入者のみなさまに満足していただく必要があります。そうでないと将来に繋がらないからです。私たちの仕事は「売って物件が完成したら終わり」ではなく、完成したところからが真のスタートといえます。

「DMCIって凄いじゃない！　DMCIで良かった！」ということが日本でも口コミで広まってくれれば、自然と顧客も来るだろうという会社の意向もあるわけです。

逆に悪い噂というのはスピードも速いですし、広まりやすいものです。変な物件だった、変な部屋だった、コストパフォーマンスが悪かった、竣工が遅れた、管理が行き届いていないというようなマイナスのイメージが広まるとせっかく温めてきた「DMCI」のイメージが崩れてしまうわけです。そんな口コミを日本国内に広げないように、厳選に厳選を重ねた物件しかご案内しないのです。

現在のところ、通常の新規プロジェクトの部屋の申し込み方法は、購入希望者が物件の発売日初日に現地「DMCI Homes」本社に出向いて、朝9時から並んで抽選会に参加し、その番号結果によって部屋を購入の順番の権利を得ることができます。その抽選会に人気物件だと1000人以上が殺到します。そんな人気マンションであっても、日本人なら日本人特別枠で購入することができることもあるのです。

社内のフィリピン人営業マンにしてみると、この「日本人特別枠はずるい！」となることもあるのですが、会社の「日本を大事にしたい」という思いが、この日本人特別枠を継続できている理由なのです。

ただ、昨今のフィリピン不動産の盛り上がりから、この日本人特別枠の制度も、いずれ、廃止されてしまうかもしれません。それくらい、国内外で「DMCI Homes」の人気熱は高まっているのです。そうなる前に早めの購入をお勧めいたします。

コンドミニアムの中ですべてが完結！

今までに販売してきた「DMCI Homes」の物件は、10万部屋以上あります。高層タイプ、中層タイプ、と物件ごとの個性はありますが、全体を通してDMCIが作るコンドミニアムのコンセプトは「リゾート風」です。

メトロマニラ（マニラ首都圏）は大都会、大都市です。イメージとしては新宿や六本木です。この大都会の中でも、喧騒を忘れてリゾートホテルの雰囲気や設備で毎

「DMCI Homes」のコンドミニアムのプールはリゾートホテル並み

日をリラックスして楽しい生活を送る、ということが「DMCI」のリゾートコンドミニアムのコンセプトです。

フィリピンには7109の島があり、周りは多くが海。すぐそばには島があるという環境で、すでに南国リゾートなわけですが、大都会の中にもゆったりとしたリゾートを提供しているのが「DMCI」なのです。

「DMCI」の過去の物件をご覧いただければおわかりいただけると思いますが、全プロジェクトにプールがついて、ジムがあって、

DMCIのコンドミニアムのジム

バスケットコート、屋上のスカイガーデンがあるわけです。これはフィリピン人とっての「憧れ」「夢」「理想」の生活とも言えます。その「憧れ」「夢」「理想」が、日本人なら、日本人の特別枠で1000万円から数千万で手に入るのです。

全物件リゾートホテル仕様

「DMCI」の物件の特徴は先述した通り、リゾートホテル仕様です。もうひとついえば、物件から出なくてもいいくらい住環境が整っていることです。近年完成したすべての「DMCI Homes」物件には光ファイバーのネット回線が入り、快適で切れない高速ネット環境が整いました。リゾートタイプのコンドミニアムで豊かな生活をしながら、生活や仕事ができる環境も整備されているのです。

リゾートホテル風という意味で特筆すべき点として、ロビーラウンジが挙げられます。もともと好評だったロビーラウンジですが、デザインのクオリティが向上してきております。高級ホテルに匹敵するような空間演出になっているプロジェクトもあり、天井高や色味、光の入り方までを計算したロビーラウンジは人を出迎える瞬間に、すぐ満足感を感じるラグジュアリーな空間を演出しているのです。

また、「DMCI」のほとんどの物件には屋上にスカイガーデンがあります。

日本のマンションの屋上は大体、警備上の問題で閉鎖したり、夜は立ち入り禁止となっています。しかし、「DMCI」のスカイガーデンは24時間開放されているのです。

屋上からの眺めはすべてが素晴

天空に広がるようなスカイガーデンも「DMCI Homes」の魅力

らしく、島国の良さがわかる瞬間です。夜景はもちろんなのですが、朝夕はまた格別です。サンライズ、サンセットどちらをとっても美しい風景が広がるフィリピンならではの優雅な時間があります。マニラには「世界三大夕陽」が見れるといわれていますが、その意味が、実際に目で見て体感できることでしょう。この夕陽は、たとえ不動産に興味のない方にも、一度味わっていただきたいと思います。

もちろん、夕陽だけでなく、朝日も素晴らしいです。フィリピンは太陽が近い国です。朝の光は力強く、その日一日の英気を養えます。

パソコン作業で疲れたら、スカイガーデンで太陽を浴びながらティータイム。そんな生活をしてみませんか？

スカイラウンジで贅沢な時間を

スカイガーデンだけではなく、スカイラウンジが常設されている物件が多いのも「DMCI」の特長といえます。スカイラウンジとは、読んで字のごとく、天空を見上げ、そこに広がる景色を楽しみながら、お酒や料理を楽しめる場所です。

「DMCI Homes」物件の屋上（スカイガーデン）の一階下のフロアには、パーティなどができるような贅沢な空間が用意されています。居住者が申し込めば、時間貸しも一日貸しもでき、パーティも可能です。

アメリカ圏の人々と同じように、フィリピン人はパーティが大好きです。誕生日やクリスマス、学校の入学などの節目、あらゆるタイミングでパーティを開きます。

こうした空間は日常的にもとてもよく利用されているので、物件を購入した日本人のみなさまにも、ぜひご利用いただきたいと思います。もちろん、必要に応じてケータリングサービスも利用いただけます。日本食が恋しい方には、日本食のケータリングも可能です。

豪勢なパーティも気軽に演出できるのが、「DMCI」のメリット。これも毎日の生活を豊かにするポイントになると思います。

第五章

間違いのない
フィリピン不動産購入術。

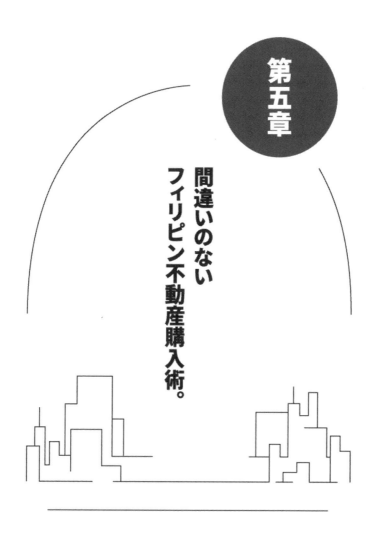

Q

フィリピン不動産の難しいと感じること、注意したほうが良いと思っていることは？

A

難しいと感じること：英語ですね。契約書、銀行振込などはすべて英語になりますので、すべて理解するのに時間がかかり、スピード感を求められる場面では自力では限界を感じます（張様）

現地の物件で何かトラブルが発生したときに対応してもらえる物件を買うことですね。日本にはないクロージングフィー（各種税金関連）など多少日本と違うところがあります。私は桐原さんが現地にいるので安心してお任せできています。（新井様）

ここまではフィリピンの魅力、フィリピン不動産の魅力、さらにはフィリピン不動産の中でも「DMCI Homes」物件が日本人には安心して購入できることをお伝えしてきました。

読んでいただき、実際に購入を考え始めている方も少なくないと思います。本書を手に取ったときから検討されていた方もいらっしゃるかもしれません。ここから先は実際に購入するための手引きです。

代理店選びですべてが決まる

フィリピンには優良なディベロッパーはいくつかあります。その中でも日本人が安心して購入できるのが「DMCI Homes」だということを前章までで説明してきました。さらに、「DMCI Homes」がご安心いただけることは**ディベロッパー側に日本人スタッフがいる**ということです。そして、日本においても、「DMCI Homes」物件を専門に取り扱う正規販売代理店があるということも読者のみなさまにお伝えします。

正直に、はっきりと申し上げますが、フィリピン不動産購入、成功の秘訣は代理店にかかっています。フィリピンの不動産は基本的にプレビルドで購入いただきます。契約をしてから、3年から5年の間、毎月の定額を振り込んでいただくことになります。ディベロッパーとは毎月のように支払い状況の確認であったり、契約についての連絡を取り合わなければなりません。そのとき、張さまのご回答にあるように、**契約書、銀行振込をはじめすべてのやりとりが「英語」になります。**入金など金銭関係のメールも度々ありますが、それも英語です。こちらからの対応も英語です。これをすべて個人でやっていくのはかなりのストレスではないか、と思います。

こうした現地とのやりとりの中で誤って契約破棄になってしまう場合があります。未払いなどは契約破棄を含めペナルティもあります。

現地ディベロッパーとのやりとりをさせていただくのが我々「販売代理店」の仕事です。

代理店制度について

代理店に関しては本書の最も重要な部分ですので、まとめさせていただきます。
「DMCI Homes」の物件を購入するには2つの方法があります。

1.「DMCI Homes」のような現地ディベロッパーに直接問い合わせ、訪問をして、現地フィリピン人営業を紹介してもらい、購入する。

メリット：日系販売代理店のような業務手数料が必要ないことが最大のメリットです。

デメリット：すべてのやり取りを英語で行なう必要があります。基本的には担当営業のサポートは売買契約についてのみで物件や支払の問い合わせ、サポートはご自身でディベロッパーのカスタマーサービスセンターに問い合わせをする必要があります。

過去に物件の支払が銀行口座の不具合で振り込まれず、「DMCI Homes」からの支払催促の案内にも気づかず、結果的に物件が没収になってしまったケースもありました。ディベロッパーと直接やり取りされる場合に起こりうるすべての責任は購入者となり、契約手続きを担当したエージェントが契約締結以降のサポートを差し上げることはありません。

ビジネスレベル以上の英語力のある方で現地在住者、または配偶者がフィリピン人の方などには良いかもしれません。少なくとも海外不動産についての知識や経験があることは必須です。

2.「DMCI Homes」と正規代理店契約をしている日系販売代理店を通じて購入する方法です。読者のみなさまには、「DMCI Homes」の物件を安心して購入していただくために、こちらを推奨いたします。

メリット：契約手続き、支払い、お部屋の引き渡し、賃貸、売却、各種税金支払等、すべての必要サービスを一貫して日本語でサポートしてもらえます。日本の正規代理店だと各社売上に応じてプレミアムユニットを確保していることがあり、**販売抽選会に参加しなくても、一般で購入できないような「人気の高い価値が高い部屋」を紹介してくれる**こともあります。

代理店の社員の多くが自身でも「DMCI Homes」の物件を所有しており、物件やフィリピンの状況において、リアルでタイムリーな情報を教えてもらえます。

デメリット：業務手数料が発生します。

注意事項

販売代理店を選ぶときは必ず正規代理店を探してください。正規代理店でないところは思うようなサポート体制や知識がないことや、金銭トラブルにも発展しやすい会社も少なくありません。最悪はサポート費用だけを持ち逃げされたりするケースもあります。

正規代理店についての確認はお問い合わせ窓口からできますので、ご不明点は日本人窓口までお問い合わせください。

https://www.dmcihomes.jp/（「DMCI Homes」日本語ウェブサイト）

info@dmcihomes.jp（日本語窓口問い合わせ先）

「DMCI Homes」の日系正規代理店主要5社は左記になります。この5社は「DMCI Homes」の物件販売の経験が豊富でフィリピン現地の知識もあります。また、その関係者のほとんどは「DMCI Homes」の物件を個人でも所有しております。

・API Gateway 株式会社
・RAM Homes Japan 株式会社
・株式会社 Phi Homes
・フィリピンホームズ株式会社
・株式会社 Enbition

日系正規代理店があるのもフィリピンディベロッパーとしては珍しいですが、それは「DMCI Homes」は日本人向けにコンドミニアムの販売を10年前から始めているからで、他のフィリピンディベロッパーよりもしっかりとしたサポート体制ができているといえます。

少しでも気になったら、日系正規代理店にお気軽にお問い合わせください。

フィリピン不動産の購入予算

購入までの大きな流れを知っていただく前に、予算の確保は大事なことなので先にお話しさせてください。物件の価格だけではなく、税金を含め、諸費用、さらには賃貸を考えている場合には内装費も計上しておく必要があります。諸費用を挙げてみます。

1. 各種税金

◎物件購入時

クロージングフィー（物件価格の10～12％　※支払条件、ディベロッパーによって％レートは異なる）

・内訳（「DMCI Homes」の場合）

・Documentary Stamp Tax　印紙税

・Transfer Tax　不動産取得税
・Registration Fees　登記費用
・Notarial & Documentation Fees　物件認証・資料費用
・Administrative & Handling Fees　事務手続き費用

なお、物件購入時にVAT（消費税）12％が別途発生しますが、「DMCI Homes」物件はVAT込みの金額表記となっております。

◎物件引き渡し後
Real Property Tax　固定資産税（年1回）
2022年度の固定資産税支払額例（BRIO TOWERの場合）
1ベッドルーム（24平米）1万ペソ（3万7500円）
2ベッドルーム（56平米）3万5000ペソ（8万7500円）
3ベッドルーム（80平米）5万ペソ（12万5000円）

固定資産税は物件評価額の1.6％とされていますが、「DMCI Homes」のコンドミニアムの場合はそれぞれのお部屋の評価額からの算出ではなく、プロジェクト全体の評価額からお部屋の平米数で割って算出されるため、1部屋ずつの算出方法より低い税金額が実現しております。

この点も現地フィリピン人が多く暮らす「DMCI Homes」ならではのメリットです。

2.コンドミニアムの共益費

「DMCI Homes」の場合は物件の大きさによって異なります。おおよそ月額1平米あたり100ペソ(250円)に設定されております。共益費の中には日本でいうところの修繕積立金、プール等の共有施設利用料も含まれております。

2022年度の月額共益費支払額例(BRIO TOWERの場合)

1ベッドルーム(24平米)2400ペソ(6000円)

2ベッドルーム(56平米)5600ペソ(1万4000円)

3ベッドルーム(70平米)7000ペソ(1万7500円)

毎年1月に年間一括払いをされますと1か月分の共益費がディスカウントされます。

3.内装費用について

後述しますが、賃貸で貸すという方は入居者が借りやすくする（「入居付け」という）ためにも内装を施工してから貸し出す方がほとんどです。1BR（ベッドルーム）のスタンダードタイプで30万ペソくらいからハイグレードタイプで55万ペソくらい（※日本円で約75万～約125万円 ※1ペソ＝2.5円で計算）。広さによっても異なりますが、ある程度の費用を計上していただきたいと思います。内装に関しても日系正規代理店にご相談いただければ、ご自身で現地に行かなくてもお任せいただけます。

また、内装を依頼される物件購入者の方は賃貸運用効率の良いデザインを希望されておりますので、豪華にも簡素にもなり過ぎない、その物件に合うデザインをご提案させていただいております。いきなり現地でインテリアの会社を探して、英語で交渉するよりも、日本人スタッフと日本語で進めていくことが得策だと思います。

4. 駐車場購入について

フィリピンでは経済成長に合わせて、中流層でもマイカーを持つ人が増え続けております。日本と比較して新車の車体価格が1.5~2倍であるにもかかわらず、車の総台数は年に20~30%ずつ増え続けてきました。コンドミニアムを賃貸に出すときや売却するときは、駐車場が付いている物件のほうが貸しやすく、売却しやすい傾向にあります。「DMCI Homes」の物件の駐車場は、プロジェクトの総戸数の60~70%程度の供給数となっており、エレベーター付近の駐車場や駐車しやすい区画は取り合いになるほどの人気があります。

物件購入された方は1部屋につき1区画駐車場を購入できるので、合わせてご購入することをお勧めしています。価格はおおよそ1台100万ペソ(250万円)になります。

駐車場はお部屋同様に別途権利書が発行されます。また、利用されなくなった駐車場は駐車場単体で賃貸、売却も可能です。

購入までの流れ

日系正規販売代理店、ディベロッパーに問い合わせる。

←

購入物件を選ぶ。

←

予算に合わせてお部屋を絞り込む。

←

駐車場購入をするか決定する。

←

購入を決定する。

←

部屋、駐車場を決める。

←

見積りの確認。

←

↓
申し込み（仮押さえ）※1　この際の必要なものは後述します。
↓
フィリピンのディベロッパーで売買契約書作成。
↓
売買契約書が郵送で届く。
↓
契約書に直筆でパスポートと同じサインを全ページにする。
↓
フィリピンのディベロッパーに郵送。
↓
フィリピン公証役場で認証された売買契約書の一部が返送される。
↓
契約手続き完了。

これが契約までの流れです。おおまかには日本での不動産購入とさほど変わらないかと思います。

契約に際してまずは必要なものを列挙してみます。大きくは2つ。第一にご自身の情報。第二はご本人の証明になります。

①ご契約者の左記ご情報

・お名前（漢字・読み方ローマ字）
・誕生日
・住所（漢字・読み方ローマ字）
・郵便番号
・電話番号
・メールアドレス
・契約書に配偶者（夫・妻）の名前も入れられたい方は配偶者の名前、誕生日、メールアドレス

②必要提出書類

・パスポート（配偶者がある場合は配偶者のパスポートの写しもご送付ください）の写し

・現住所記載の運転免許証の写し、もしくは公共料金請求書（水道、電気、電話、インターネット、クレジットカード）の写し

・住民票もしくは戸籍謄本を英語翻訳したもの（配偶者がある場合）契約までのやり取りは日系正規代理店とメールでのやり取りでもお手続き頂けます。

フィリピンの賃貸事情

この章の最後に賃貸の際の常識と「入居付け」を有利にするための「内装付け」についてご説明しておきましょう。

まず、日本の不動産賃貸とは違うフィリピンならではのルール、慣習があることをご理解ください。

日本では賃貸の支払いは毎月銀行振込、引き落とし等で支払うのが常識です

が、フィリピンの賃貸物件は毎月の振り込みではなく、小切手決済もしくは年間一括払いが多いです。特に取り決めがあるわけではなく、大家の考え方次第となりますが、支払いに関するトラブルを防ぐためにオーナー側から小切手決済を要求されることが多いです。デポジット（敷金）2か月と12か月分の小切手、もしくは一括で支払われることが多いです。

フィリピン流 賃貸経営

日本の賃貸物件は完成、引き渡し段階のまま、スケルトンで賃貸に出すのが常識ではないでしょうか？　たまに家具付き物件を見かけますが、日本ではまだまだ珍しいケースと言えます。しかし、フィリピンの場合は違います。**フィリピンではスケルトンでは借り手がなかなか見つからず、基本的にエアコン、ベッド、ソファ、冷蔵庫、ベッドなどの家具、家電を貸主側が用意して貸出すことが一般的となっています。**

次のページからお見せするのは竣工時の物件の部屋の写真、その次のページが1BR（ベッドルーム）の物件にスタンダードタイプ（およそ30万ペソ）のご予算で家具を入れた部屋の写真、さらに次のページでは1BRの物件でハイグレードタイプ（およそ55万ペソ）のご予算で家具を入れた部屋の写真になります。

フィリピンでの賃貸物件を貸し出す際に注意したい点は、入居者に住みたいと思わせること（以下「入居付け」）が大切です。内装や間取りも大事なのですが、それ以上に入居付けを決めるのは家具やインテリアなのです。

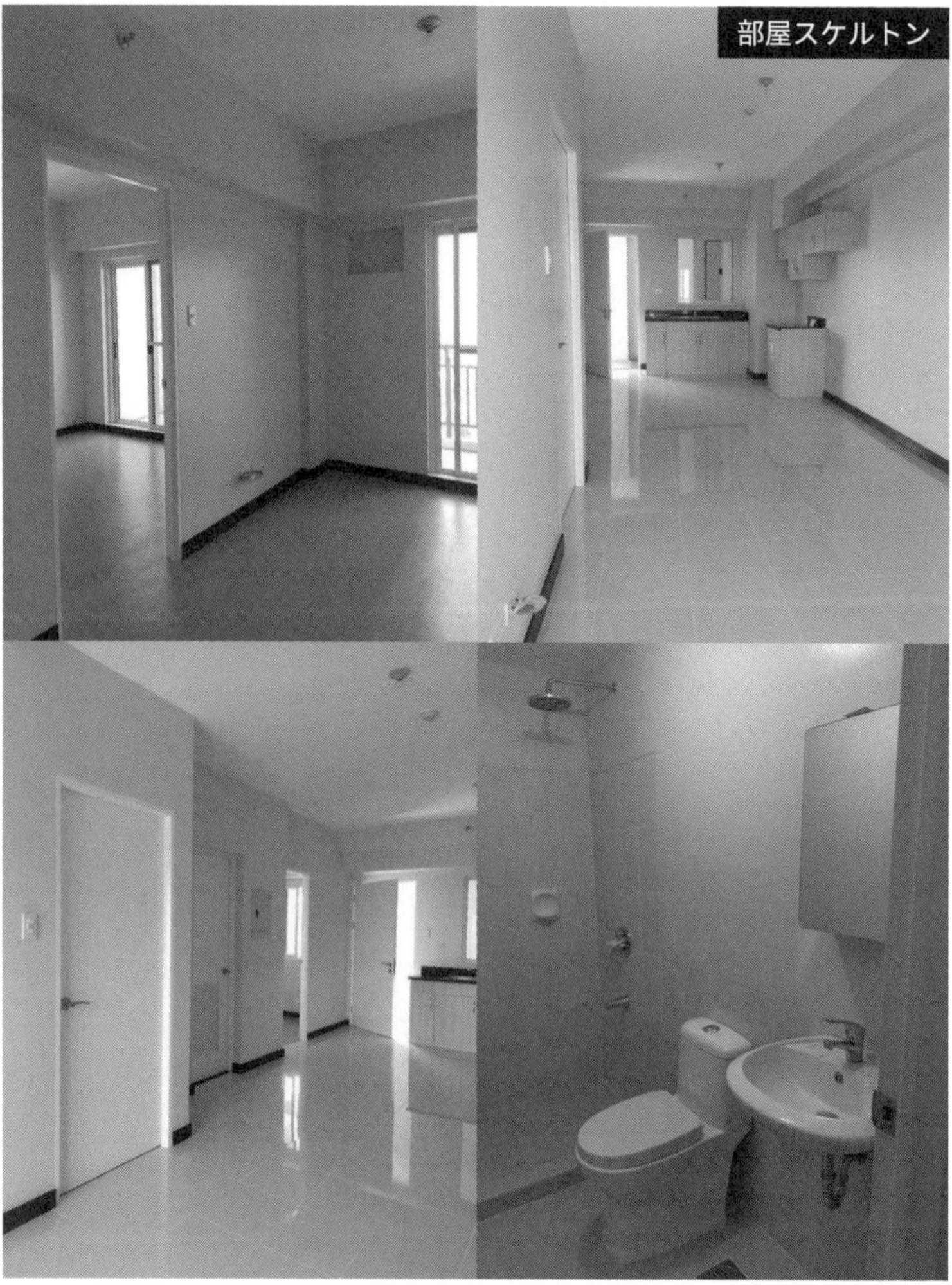
部屋スケルトン

1BR / スタンダードタイプ（およそ30万ペソ）

1BR / ハイグレードタイプ（およそ55万ペソ）

フィリピン不動産の売却

最後になりますが、売却時のこともお話ししておきたいと思います。

最終的に売却し売却益を得たいと思う方は多いと思います。

まずフィィリピン不動産は売却時にも税金がかかります。

明細は後述しますが、おおよその考え方として、**売却金額にかかる税金が合計約10%**になります。また、売却先探しを依頼される場合は仲介手数料としておおよそ3~6%が別途かかります。

不動産売却時にかかる諸費用（概算）

印紙税
2.0%（売買価格、又は評価額の高い方に対して）

不動産移転税
約0.5%（売買価格、又は評価額の高い方に対して）

不動産登記税
約2.0%（売買価格、又は評価額の高い方に対して。エリアによって異なる）

キャピタルゲイン税
6％（売買価格または評価額の高い方に対して、売却損が出た場合も同様）

この章でフィリピン不動産の購入から、賃貸運営、そして売却までを書かせていただきました。ここまで読んでいただいていかがでしょうか？　フィリピン不動産を購入したいと思いませんか？

あとがき

これから先、何が起こるか誰にもわかりません。ここ数年に起こったことは誰も想像できなかったと思います。2022年も激動の一年でした。世界情勢が大きく変わり、その影響が生活を脅かすようになってきました。日本も今後どうなるかは不透明です。ただ、唯一わかっているのは、日本マーケットは人口の減少に伴い緩やかに停滞していくであろう、ということだけです。

だからこそ、今、海外に目を向けていただきたいと思います。

かつての日本の不動産のように、キャピタルゲイン（売却益）もインカムゲイン（家賃収入）も得ることができる健全な不動産投資ができるのが現在のフィリピンなのです。

また、フィリピンで暮らす、永住する、第二の拠点を持つという選択肢も良いと思います。

日本人が海外で生活をしていくことと考えると、フィリピンは最適です。東京から飛行機で4時間と距離も近く、一年中温暖で過ごしやすく、親日国で英語が公用語であり、物価が日本と比較して安いというメリットがあります。

日本であれば億ションと言われるようなタワーマンションでようやく手に入るようなラグジュアリーな生活が、フィリピンであれば1000万円から数千万円で手に入るというのも大きなメリットでしょう。ジムとプールとスカイラウンジがついた物件を購入し、世界各国の料理を食べながら低コストで暮らせるのは、フィリピンくらいではないでしょうか。

「DMCI Homes」の物件を購入された方の中には、60歳を過ぎてフィリピンに移住した方や、フィリピンで素敵な伴侶を見つけられ、現地の方とご結婚された方もいらっしゃいます。リタイア後の生活だけでなく、在宅ワークが増え、働き方が多様化した現在、日本から移住する若い方も増えてきています。

かくいう私、桐原も「DMCI Homes」のコンドミニアム物件を所有し、そこで暮らしています。そして快適で幸せで楽しい毎日を過ごしています。

ここまでお読みいただきありがとうございました。少しはフィリピン不動産に興味を持っていただけましたでしょうか？

不動産はちょっと不安と感じていらっしゃるみなさまも一度、フィリピン、マニラにいらしてください。そしてフィリピンの成長性、魅力を体感してみてください。

「DMCI Homes」では随時、マニラの不動産現地視察ツアーを開催しております。マニラにお越しになる際には是非お声がけいただければと思います。

そしてみなさまの〝輝ける未来〟のために、少しでもこの本がお役に立てれば幸いです。

フィリピン、マカティ市のBRIO TOWERのスカイラウンジでサンセットを眺めながら。

2023年1月吉日

桐原 隆

桐原 隆（きりはら・たかし）
1977年、東京生まれ。フィリピンの首都・メトロマニラ在住。フィリピンの不動産会社RAM Homes Allied Services Inc.代表。DMCI Homes International Brokerage部門所属。2013年、創業1954年のフィリピン最大手の建築会社を母体とする、DMCI Holdingsのディベロッパー（不動産開発会社）に日本人の総合窓口の営業職として入社。日本への販売仲介を行い、日本マーケット全体で延べ1000ユニット以上を売り上げる。DMCI Homesからトップセールス賞を2016年から2022年の7年連続受賞。フィリピンを訪れたきっかけは2006年の語学短期留学だったが、そのまま永住するに至る。2010年よりメトロマニラの屋外音楽イベント(IRIE SUNDAY MANILA)に参加、現在も運営している。

今注目の海外投資フィリピン不動産 DMCI Homesを勧める理由

2023年1月15日　第1版第1刷発行

著者	桐原 隆
編集・発行人	北原 徹
発行所	株式会社 PLEASE 〒164-0003 東京都中野区1-56-5 ホシノビル3階 https://www.please-tokyo.com/ info@please-tokyo.com
装丁・本文デザイン	プリーズ デザイン工房
印刷・製本	中央精版印刷株式会社

ISBN978-4-908722-21-9